Donald Clarke

Holzarbeiten

Otto Maier Verlag Ravensburg

Alle Rechte der deutschen Übersetzung und
Bearbeitung liegen beim Otto Maier Verlag
Ravensburg.
Deutsche Übersetzung: Irmgard Kneißler
Umschlaggestaltung: Manfred Burggraf
Printed in England

ISBN 3-473-42459-0

CIP-Kurztitelaufnahme der Deutschen
Bibliothek

Clarke, Donald
Holzarbeiten. – Ravensburg : Maier, 1978.
  Einheitssacht.: Wood ⟨dt.⟩
  ISBN 3-473-42459-0

Inhalt

Einleitung

Holz ist das älteste Werkmaterial des Menschen, und im Laufe seiner Geschichte fertigte er daraus einfach alles, was man sich vorstellen kann, angefangen beim Eßbesteck bis hin zu Tempeln. Wegen seiner Formbeständigkeit und Haltbarkeit nimmt Holz unter allen Werkstoffen einen Vorrang ein. Durch die Vielfalt der Holzarten und unterschiedlichen Oberflächenbehandlungen, durch Verarbeiten auch härtester Hölzer entstehen Dinge von ungewöhnlicher, manchmal ergreifender Schönheit. Lange Erfahrung lehrte die Handwerker, das Holz dauerhaft zu präparieren und dabei seine natürliche Schönheit voll zur Wirkung zu bringen. Dieses Buch will die Grundkenntnisse dieser Handwerkskunst vermitteln. Dabei geht es nicht darum, vollendete Intarsien oder Einlegearbeiten herzustellen, die einen Platz im Museum oder in einer Kunstausstellung finden könnten. Ein Versuch lohnt sich aber schon wegen der inneren Befriedigung, die das Anfertigen einfacher Gebrauchsgegenstände schafft, von eingesparten Ausgaben ganz abgesehen. Die nötigen Kenntnisse werden in den einzelnen Kapiteln anhand leichter und praktischer Werkstücke vermittelt und erprobt. Ganz zu Anfang steht die Beschreibung einer Arbeitsplatte, die zum Sägen kleiner Holzstücke sehr nützlich ist. Topfuntersetzer, Kerzenhalter, Handtaschengriffe und Lampenschirme sind praktische und preiswerte Gebrauchsgegenstände. An Puzzles, Kollagen und mit gebeizten Mustern geschmückten Kästchen kann ein angehender Kunsthandwerker seine schöpferischen Fähigkeiten erproben. Überall und immer nützlich sind Regale und Kästen in jeder Form. Die Beispiele alter Handwerkskunst lehren, welch große Ausdruckskraft Dingen aus Holz gegeben werden kann.

Holzarten
und ihre Verarbeitung

Weichholz:
Material für Anfänger

Schreinern läßt sich so leicht erlernen wie Kochen oder Schneidern. Die Grundkenntnisse sind verblüffend schnell erworben, und das Selbermachen einfacher, praktischer Dinge für den Haushalt macht viel Spaß. Entscheidend für das Gelingen ist das richtige Werkzeug, geeignetes Material, ein genaues Befolgen der Anleitungen und ein wenig Ausdauer. Fachausdrücke lassen die Holzbearbeitung schwieriger erscheinen als sie wirklich ist. In diesem Buch wird die erschwerende Fachsprache ausgeklammert und die erforderlichen Techniken klar und einfach erklärt. Beim Topfuntersetzer z. B. muß nur gesägt, eingeschnitten und geschmirgelt werden. Dazu braucht man lediglich eine Säge, einen Schreinerwinkel, ein Stahlbandmaß und einen Stechbeitel.

Weichholz und Hartholz

Holz besteht aus vielen langen, röhrenförmigen Zellen. Diese Struktur bedingt, daß es leichter in Laufrichtung dieser Zellen, also mit der Faser, zu bearbeiten ist (spalten), als quer dazu (Querschnitt).
Alle Nadelhölzer oder zapfenbildenden Bäume haben Weichholz, während alle breitblättrigen Bäume unter die Gruppe der Harthölzer fallen. Zu den Weichhölzern gehören Kiefer, Föhre, Rottanne, Fichte und viele andere. Harthölzer sind Mahagoni, Teak, Eiche, Birke und Balsaholz. Für die meisten Arbeiten ist Weichholz billiger und geeigneter.
Holzhandlungen und Holzlager führen eine große Auswahl verschiedener Hölzer in genormten Abmessungen, wobei man die Rohstärke in Zoll berechnet. Umgerechnet beträgt sie 10–35 mm. Allerdings ist es ratsam, fertig gehobeltes Holz zu kaufen – die Heimwerkermärkte und Bastelgeschäfte haben meist nur noch gehobeltes Holz – denn wer hat schon die erforderlichen Werkzeuge zuhause, um diese Arbeit selber durchzuführen. Die Breite der gehobelten Bretter schwankt zwischen 8–32 cm, breitere müssen aus schmäleren Brettern zusammengeleimt werden.
Für ein Arbeitsstück sollte Holz in ausreichender Menge gekauft werden, man sollte sich hierbei auch genügend Zeit lassen, um möglichst einwandfreie, nicht verzogene Stücke ohne Äste und Risse herauszusuchen.

Werkzeuge

Für die Holzbearbeitung gibt es eine große Zahl von Spezialwerkzeugen. Viele davon dienen nur der Bequemlichkeit, und die meisten Arbeiten

können mit einigen wenigen Werkzeugen ausgeführt werden. Elektro-Heimwerker-Geräte arbeiten schneller, aber für die Grundausstattung sind sie unnötig.

Schneidewerkzeuge müssen sehr scharf sein und sind deshalb immer eine Gefahrenquelle. Daher sollte niemals auf wackeligem oder unebenem Untergrund gearbeitet werden.

Sägen: Handsägen gibt es in vielen Arten und Größen. Geeignet ist praktisch jede, aber ein kleiner, handlicher Fuchsschwanz oder eine Bügelsä-

Aus Weichholz entstehen viele praktische Dinge für die Küche.

Die Abbildung zeigt einige der wichtigsten Werkzeuge für die Holzbearbeitung. Schraubenzieher und Stemmeisen gibt es in vielen Größen; hier sollten mehrere bereitliegen.

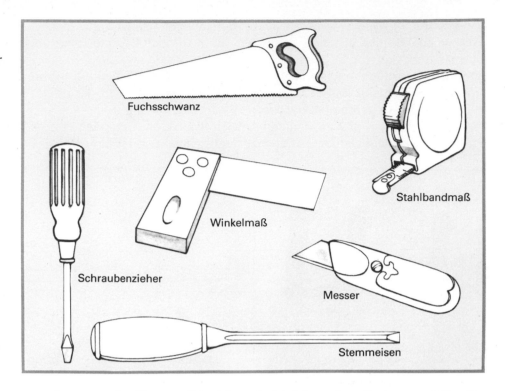

Fuchsschwanz

Stahlbandmaß

Winkelmaß

Schraubenzieher

Messer

Stemmeisen

ge mit auswechselbarem Sägeblatt sind leicht zu handhaben und für alle kleineren Projekte ausreichend.

Winkelmaß: Es wird auch Schreinerwinkel genannt und hat meist einen Holzschenkel und eine Metallzunge. Es dient zum Anzeichnen von Führungslinien für das Sägen, Stemmen, usw. Es bildet einen Winkel von 90°. In erster Linie werden damit auf Brettern und Leisten rechtwinklige Markierungen für Querschnitte gezogen. Dafür geeignet ist ein spitzer Bleistift oder ein Anreißer.

Stahlband: Ein 2 m langes Stahlband ist günstig.

Stemmeisen, auch Stechbeitel oder Holzmeißel: Ein 6 mm breites Stemmeisen eignet sich für den beschriebenen Topfuntersetzer am besten. Eine Säge wird auf alle Fälle gebraucht, gemessen werden kann zur Not mit dem Lineal, ein Winkelmaß ist nicht unbedingt notwendig. Niemals sollte aber statt eines Stemmeisens ein Schraubenzieher benutzt werden, denn erstens ist das Ergebnis dann mangelhaft und zweitens wird ein guter Schraubenzieher dadurch wahrscheinlich ruiniert. Die Anschaffung von gutem Werkzeug und dessen Pflege macht sich immer bezahlt. Es ist in vielen Situationen von Nutzen und hält eine Ewigkeit.

Die Arbeitsplatte

Eine gleichmäßige Schicht Holzleim wird auf die Unterseite von einem rechtwinklig abgesägten Leistenstück gestrichen, dieses in richtiger Stellung auf die Grundplatte gelegt und leicht hin und her bewegt, damit

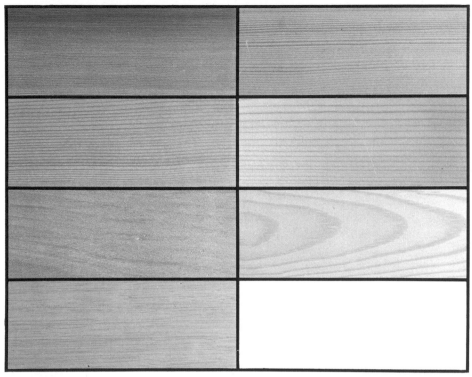

Das Färben der Weichhölzer erfolgt durch die Oberflächenbehandlung. Einzelheiten dazu auf S. 30.

eingeschlossene Luft entweicht. Das gleiche auf der anderen Seite der Platte wiederholen und das Ganze über Nacht trocknen lassen. Am besten preßt man das Holz, während der Leim trocknet, mit Schraubzwingen zusammen.

Der Topfuntersetzer

Dieser Untersetzer ist 19 × 19 cm groß.

Zum Begradigen der Leiste wird etwa 25 mm vom Ende entfernt mit dem Winkelmaß eine Sägemarkierung angezeichnet. Die Säge wird auf der Linie an der Leistenkante angesetzt und durch einen Zug auf den Körper zu mit dem Durchsägen begonnen. Sie wird locker hin und her bewegt, das Sägeblatt muß senkrecht stehen.

Vom begradigten Leistenende aus werden 19 cm abgemessen und die Schnittlinie angezeichnet. Da der Sägeschnitt etwa 2 mm breit ist, muß jetzt an der Außenseite der Markierungslinie gesägt werden, damit das Stück die gewünschte Länge von 19 cm hat. Sie brauchen 7 gleiche, 19 cm lange Stücke (1 Ersatzstück). Ein Teil wird wie folgt bearbeitet: Auf einer der 12,5 mm breiten Leistenkanten die Maße für die Ausschnitte (mit Hilfe des Winkels) wie gezeigt markieren. Die Kerben sind alle 12,5 mm, und werden nach den Abmessungen von S. 8 Abb. 5 markiert. Jetzt werden alle Leisten so zusammengelegt, daß die Enden gleichmäßig abschließen und mit Hilfe des Winkels die auf der einen Leiste angezeichneten Schnittmarkierungen auf alle anderen übertragen.

Topfuntersetzer

Man braucht dazu:
Weichholz 25 mm × 12,5 mm, 2 m lang (ausreichend für einige Ersatzteile)
Feines Sandpapier
Nach Wahl: 9 runde Holzscheiben aus dem Hobbyladen oder Scheiben aus Dübelholz mit 3 cm Durchmesser; der Schreiner sägt Ihnen sicher in 5 mm dicke Scheiben.

Werkzeuge:
Säge, Stahlbandmaß, Winkelmaß, Stemmeisen, Allzweckmesser

Für eine bei Sägearbeiten sehr hilfreiche Arbeitsplatte brauchen Sie ein 15 cm × 30 cm großes, 18 mm dickes Holzstück (Sperrholz oder Tischlerplatte) und zwei Leistenenden 50 mm × 25 mm, 12 cm lang.
1/2: Zusammenleimen der Arbeitsplatte und ihre Benutzung.
3: Rechtwinkliges Begradigen der Leiste.
4: Absägen der Länge.
5: Anzeichnen der Einschnitte.
6: Übertragen der Markierungen.
7: Anzeichnen der Einschnitt-Tiefe.
8: Sägen der Einschnitte auf der Arbeitsplatte.
9: Ausstemmen der Einschnitte.
10: Schmirgeln mit Sandpapier.
11: Zusammensetzen der Einzelteile. Aufgeleimte Dübelholzscheiben sind ein zusätzlicher Schmuck.

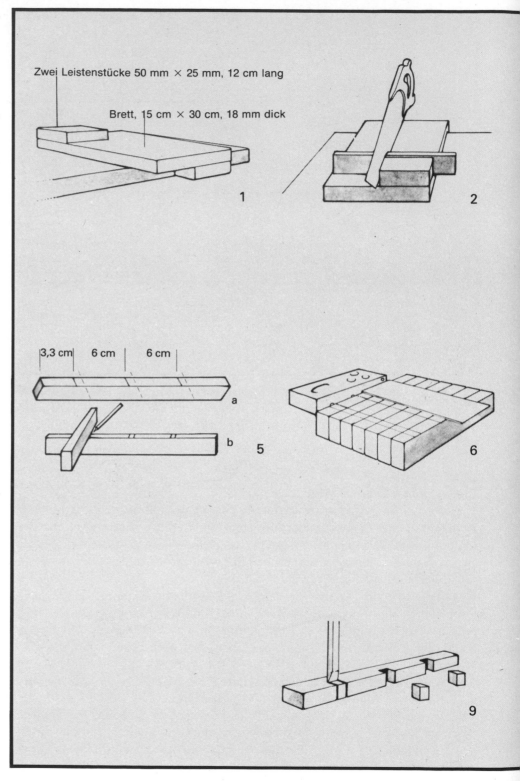

Zwei Leistenstücke 50 mm × 25 mm, 12 cm lang

Brett, 15 cm × 30 cm, 18 mm dick

1

2

3,3 cm   6 cm   6 cm

a

b   5

6

9

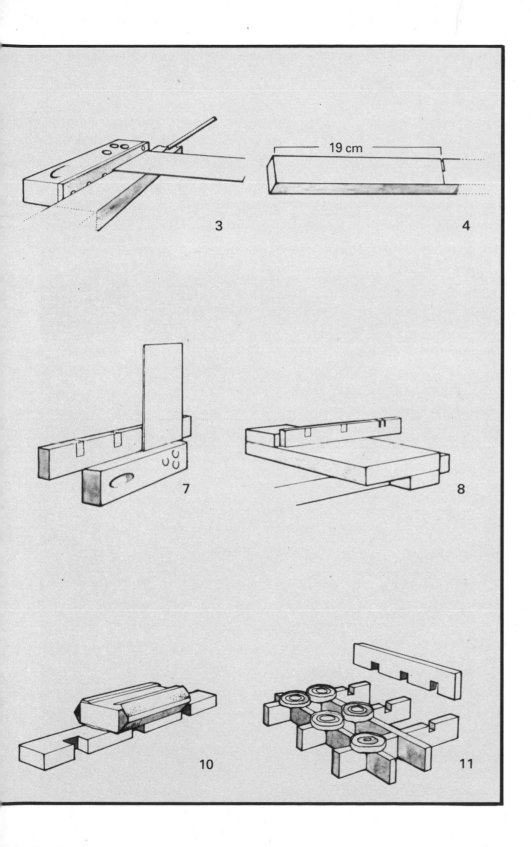

3

4

19 cm

7

8

10

11

An allen Teilen werden auf beiden Seiten die 12,5 mm tiefen Markierungen für die Einschnitte eingezeichnet und mit dem Schnitzmesser angerissen. Dadurch ist ein exakter Sägeschnitt leichter. An jedem Teil sind sechs Einschnitte zu sägen, wobei jeder Schnitt stets innerhalb des auszusägenden Teils an der Linie geführt wird, damit die Ausschnitte die exakte Weite haben und sich genau einpassen lassen. (Beim Sägen auf der Markierungslinie werden die Ausschnitte 2 mm zu groß.)

Das Stemmeisen wird auf die untere Begrenzungslinie eines Ausschnitts gesetzt, mit der abgeschrägten Fläche zum auszustechenden Teil, und das Holz durchgeschlagen. Dabei spaltet sich das Holz entlang der Maserung. Weil die Kerbe zu tief werden könnte, wird das Holz besser in klei-

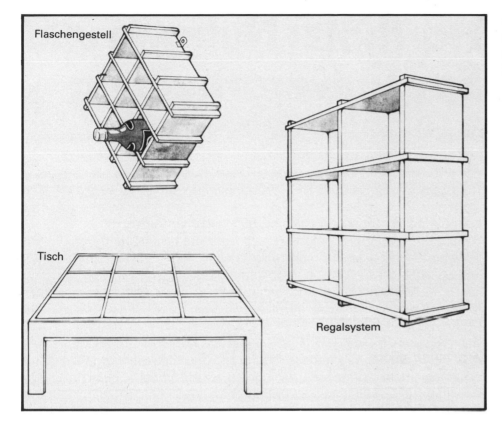

Flaschengestell

Tisch

Regalsystem

Mit etwas Erfindungsgeist kann die erlernte Kreuz- oder Kerbverbindungstechnik auch für viele andere Werkstücke benutzt werden.

nen Stücken herausgestemmt und die Leiste dabei mehrmals gewendet, damit der Schnitt eben wird.

Sandpapier wird um einen Holzklotz gewickelt und jedes Teil sauber abgeschmirgelt. Dann werden alle Teile mit Möbelpolitur oder einem farblosen, matten Kunstharzversiegler behandelt.

Zum Schluß werden die Teile zusammengesteckt. Als zusätzliche Verzierung können Scheiben aus Dübelholz oder anderem Holz aufgeleimt werden.

Nützliche Dinge – in der gleichen Weise gemacht

Mit dieser einfachen Methode lassen sich viele andere interessante und praktische Dinge anfertigen, auch ohne große Vorkenntnisse. Bei jedem weiteren Stück geht es leichter und schneller. Das Wichtigste einer neuen Arbeit ist das Anfertigen einer Skizze, wobei sowohl der ganze Gegenstand, wie auch jedes Einzelteil gezeichnet wird. Dazu werden alle Maßangaben eingetragen und der Holzbedarf und das notwendige Werkzeug notiert. Die einzelnen Arbeitsgänge werden Schritt für Schritt geplant. Das kostet vielleicht etwas Zeit, es zahlt sich aber aus, wenn bei Beginn der Arbeit die meisten Berechnungen schon vorliegen.

Hartholz: Nutzung und Spezialverarbeitung

Hartholz ist teuer und wird in erster Linie zu Furnieren verarbeitet oder als Massivholz für kleinere Werkstücke genommen, die nach der Bearbeitung eine herrliche Oberfläche haben.

Die Bezeichnung Hartholz ist nicht unbedingt wörtlich zu verstehen: Das sehr weiche Balsaholz zählt z. B. auch dazu. Im Allgemeinen gilt, daß Laubbäume Hartholz und Nadelhölzer Weichholz haben.

Weichholz, immer hell getönt, ist als Nutzholz besonders durch die Möbel aus Skandinavien bekannt geworden. In den meisten Ländern wird jedoch Hartholz bevorzugt. Möbelantiquitäten sind fast durchweg aus Hartholz. Aus Harthölzern wie Eiche, Mahagoni und Buche werden überall Möbel gemacht, weil sie attraktiv aussehen, sehr haltbar sind und sich leicht verarbeiten lassen.

Der weltweite Handel mit Nutzholz hat solche Ausmaße angenommen, daß heute Möbel aus nahezu jedem gewünschten Holz erhältlich sind. Ganz allgemein bevorzugen die Käufer jedoch Möbel aus Hartholz, vom Balsaholz abgesehen, weil es haltbarer als Weichholz ist, wuchtiger und imposanter wirkt und durch Oberflächenbehandlung vielseitig gefärbt werden kann. Der wichtigste Vorteil liegt in der großen Auswahl unter den vielen vorhandenen Tönungen und Maserungen. Leider ist Hartholz sehr teuer geworden. Deswegen bestehen moderne Möbel fast immer aus fabrikmäßig hergestellten Preßholzplatten, die mit einem dünnen

1   2   3   4

5   6   7   8

Holzart		Farbe	Herkunft	Eigenschaften	Verwendung
Esche	1	Gelblich-weiß	Europa, Kanada	Langfasrig und geschmeidig	Werkzeuggriffe und Sportartikel.
Abachi	2	Fahlgelb	West-Afrika	Ebenmäßige Maserung. Leichtes Gewicht. Gut zu nageln, schrauben, schleifen und polieren.	Küchenschränke und helle Holzmöbel.
Ramin	3	Hafermehlfarben	Malaysia	Feste, dichte Faser.	Formen, Bilderrahmen, helles Rahmenwerk für Möbel.
Buche	4	Creme oder schwach rötlich	Europa	Dichte Faser und hart. Sehr gut für Biegungen.	Das in der Möbelindustrie hauptsächlich verarbeitete Nutzholz.
Maranti	5	Dunkel-Rotbraun	Malaysia, Sarawak, Borneo	Gleichmäßige Maserung. Punktgroße Löcher in manchen Brettern.	Hauptsächlich als Hartholzfurnier für Sperrholz.
Sapelli	6	Rot	Ost- und West-Afrika	Auf manchen Brettern Streifenmuster. Ungleiche Maserung.	Möbel und Truhen. Bestes Furnier für Kleiderschränke usw.
Keruing	7	Rot	Malaysia	Kann harzig sein. Haltbarkeit mittelmäßig.	Für Schreinerarbeiten innen und außen am Haus.
Utilé/Sipo	8	Dunkelrot	West-Afrika	Leichter zu verarbeiten als Sapelli.	Mahagoni-ähnliche Möbel.
Eiche	9	Stroh bis Hellbraun	Europa, Japan, Kanada, Australien	Berührung mit Eisen vermeiden, Stahlschrauben erzeugen Flecken. Hart und dauerhaft.	Für Ladenausstattungen, Theken usw. Bestes Holz für Oberflächenfurniere.
Iroko	10	Hell- bis Dunkelbraun	West-Afrika	Große Haltbarkeit und Widerstandsfähigkeit.	Ideales Bauholz.
Afromosia/ Kokrodua	11	Honig bis Braun	West-Afrika	Sehr widerstandsfähig.	Sichtbare Teile an Polstermöbeln.
Teak	12	Braun, manchmal heller	Burma, Indien	Feuerfest, haltbar und abwechslungsreich.	Hochwertiges Möbelholz und überhaupt gutes Tischlerholz.
Ulme (nicht abgebildet)		Hellbraun	Europa	Hat eine lange Lebensdauer und ist sehr widerstandsfähig.	Stuhlsitze, Schnitzholz und Särge.

9 10 11 12

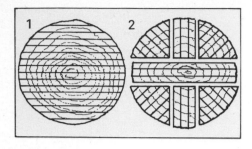

1: *Parallelschnitt*
2: *Viertelschnitt*

Hartholzfurnier belegt sind. Dadurch werden sie billiger, wirken aber genauso solide wie massive Hartholzmöbel. Einige der dekorativsten Harthölzer, wie z. B. Rosenholz oder Walnuß, stehen in Wirklichkeit überhaupt nicht zur Verfügung, wohl aber kann man Möbel mit einem solchen Furnier kaufen.

Die hier abgebildeten Hartholzarten sollen die Vielfalt der Erscheinungsformen zeigen. In normalen Holzhandlungen werden aber kaum alle vorrätig sein, denn es ist unmöglich, die ganze Palette dieser Hölzer auf Lager zu haben.

Außerdem hängt das Angebot auch davon ab, welche Bäume überhaupt verfügbar sind.

Vom Baum im tropischen Urwald bis zum Brett im Bastelgeschäft ist es zum Beispiel ein langer Weg. Im Tropenklima, wie in Westafrika und Malaysia, wachsen die Bäume im übrigen sehr schnell, und weil sie das ganze Jahr hindurch wachsen, haben sie keine Jahresringe, die die jahreszeitlich bedingten Wachstumsschwankungen anzeigen, wie sie das meiste Holz aus kälteren Zonen aufweist.

Verarbeitung der Baumstämme

Nach dem Fällen werden die Stämme zu Balken oder Brettern zersägt. Es gibt dafür zwei Grundschnitte und je nach Art des Baumes und des Verwendungszweckes der Bretter wird der eine oder der andere angewandt.

Der einfachste, billigste und gebräuchlichste ist der Parallelschnitt, bei dem die Stämme mit einer riesigen Säge zu Brettern zersägt werden (Abb. 1).

Die andere Methode ist der sogenannte Viertelschnitt (Abb. 2). Damit kommt die Maserung des Holzes voll zur Wirkung und z. B. bei Sapelli wird so ein Streifeneffekt erzielt, wodurch es sich von allen anderen afrikanischen Hölzern unterscheidet. Die im Viertelschnitt hergestellten Bretter sind formbeständiger als die parallel gesägten.

Das Auswittern oder Trocknen. Die Bretter müssen zunächst trocknen, da sie sonst nach der Verarbeitung schrumpfen und sich werfen. Ein frisch gefällter Baum enthält sehr viel Feuchtigkeit, die durch Auswittern und Trocknen herausgezogen wird. Das geschieht aber erst, nachdem der Stamm in Bretter gesägt wurde. Diese werden trocken gelagert – in regenreichen Ländern wird heute meistens eine künstliche Trocknung in großen Trockenkammern durchgeführt. Dort sind im Viertelschnitt gesägte Bretter nach etwa vierzehn Tagen verarbeitungsreif.

Färbungen. Die meisten zur Verfügung stehenden Harthölzer können anhand ihrer Farben in drei Gruppen geteilt werden.

Hell- oder strohfarbig: Esche, Eiche, Buche, Ramin, Ahorn und Abachi.

Rot: Utilé/Sipo, Sapelli und Meranti. Die roten Hölzer ähneln sich sehr und werden vom Handel häufig alle unter dem Sammelbegriff Mahagoni verkauft. Da aber jedes Holz bei der Oberflächenbehandlung anders reagiert, sollte beim Kauf die genaue Artbezeichnung bekannt sein.

Weil Hartholz heute sehr teuer ist, wird es vorwiegend zu Furnieren verarbeitet, die als Oberfläche auf billigeres Holz aufgebracht werden. Das Auswählen und Zusammenstellen dieser herrlichen Furniere ist eine wichtige und aufwendige Arbeit in der Möbel-Industrie.

Braun: Iroko, Afromosia, Teak und Ulme (hellbraun). Braune Harthölzer werden oft mit Teak verwechselt, das am bekanntesten ist. Auch hier sollte wie beim roten Holz vor dem Kauf ermittelt werden, um welches Holz es sich genau handelt.

Einkaufstips für Hartholz
Meistens findet sich ein geeignetes Holz beim Holzhändler und wenn ein spezieller Wunsch nicht erfüllt werden kann, dann gibt es doch Hölzer in einer neutralen Farbe mit einer geeigneten Maserung – was wichtiger ist, denn die Farbe kann durch Holzbeizen verändert werden. Hartholz wird in verschiedenen, normierten Abmessungen gehandelt. Diese beziehen sich immer auf das gesägte, aber noch nicht gehobelte Holz. Es hat eine rauhe Oberfläche, und es muß deshalb bei gehobelten Brettern ein gewisser Schwund einkalkuliert werden. Vor dem Einkauf der Hobelware müssen die benötigten Abmessungen also daraufhin überprüft werden. Sonst gibt es unangenehme Überraschungen, weil das zugeschnittene Holz zu klein für die geplante Arbeit ist.
Diese Kenntnisse über die Eigenschaften der Harthölzer reichen aus, um sich an Arbeiten wie Regaleinheiten zu wagen, bei denen Hartholz besonders gut zur Wirkung kommt. Zusätzlich kann der Charakter des Holzes durch eine Oberflächenbehandlung mit Wachs oder mattem Kunstharz-Firnis noch mehr herausgearbeitet werden.

Holzabfälle verwerten

Kleine Holzstücke, die bei Schreinerarbeiten immer abfallen, werden grundsätzlich nicht weggeworfen. Sie wandern in eine Kiste oder Schachtel neben dem Arbeitsplatz – früher oder später findet sich eine Verwendungsmöglichkeit, vielleicht um einen Bohrer auszuprobieren, als Schutz für die Holzoberfläche unter einer Schraubzwinge oder als Auflageklötze für frisch gestrichene Teile.

Noch bessere Verwertung finden sie jedoch für kleine Werkstücke. Aus ihnen können Kollagen, Wandschmuck und Spielzeug entstehen. Solche Arbeiten machen viel Spaß und bringen gleichzeitig neue Erfahrungen. Holzhandlungen geben diese Reste häufig kostenlos ab und darunter sind oft sogar Hartholzstücke wie Mahagoni, Birke und Teak.

Neues aus alten Stuhlbeinen

Alte Tische und Stühle, die weggeworfen werden sollen, können auseinandergenommen und zersägt noch gutes Holz hergeben, das beim Neukauf teuer wäre. So lassen sich z. B. gedrechselte oder geschnitzte Tisch- oder Stuhlbeine in sehr attraktive Kerzenhalter verwandeln. Dazu wird lediglich ein passendes Stück so ausgesägt, daß es gut steht, und in die Oberseite ein Loch für die Kerze gebohrt. Genauso entstehen Eierbecher, nur müssen hier die Stücke niedriger und die Löcher größer sein.

Kollagen

Für diese Arbeiten eignen sich nahezu alle Abfälle und je ungewöhnlicher sie sind, desto besser.

Die Abfallstücke werden einfach zu einem hübschen Muster zusammengelegt und auf eine Hartfaser- oder Sperrholzplatte geleimt. Es ist ganz einfach, weil sich die Wirkung fast von selbst ergibt. Die meisten Stücke, besonders alte Bilderrahmenprofile, sind an sich schon attraktiv und fügen sich gut ein. Zusätzliche Gestaltungsmöglichkeiten bieten sich durch das Einsetzen von Gewebe oder dadurch, daß einzelne Holzstücke Kerbschnitte oder Lochmuster erhalten.

So eine Kollage muß nicht an einem Tag vollendet werden, sie bleibt einfach liegen, bis man wieder auf neue Ideen kommt oder weitere Holzabfälle anfallen. Dann kann jederzeit weitergearbeitet werden. Durch Einfärben von Kerben mit einem Filzstift entstehen hübsche Farbeffekte.

Kollagen sollten nicht überladen werden. Es stört gar nicht, wenn größe-

re Flächen der Grundplatte sichtbar sind. Dadurch kommen die gestalteten Abschnitte sogar besonders gut zur Geltung.

Wandbehänge
Beinahe noch origineller und dekorativer wirken Holzabfälle, wenn sie auf Schnüre gezogen und an einem Rundholz als Wandschmuck aufgehängt werden.

Die Holzstücke werden zuerst in der gewünschten Größe der gesamten Arbeit lose zusammengelegt, wobei die durch die Schnüre bedingten Abstände zu berücksichtigen sind. Einige erhalten Bohrlöcher, damit die Schnur durchgezogen werden kann, andere werden nur eingeknüpft.

Auch die Art der Schnur sollte berücksichtigt werden – Stücke von alten Seilen oder Tauen wirken recht interessant und lebendig. Die Schnur wird an das Rundholz gebunden und die Holzteile in der vorher geplanten Anordnung daran befestigt. Ein aufgezogenes Holzstück wird durch einen darunter sitzenden Knoten an seinem Platz gehalten.

Je unterschiedlicher die Holzteile in Größe und Form sind, desto lebhafter wirkt der Wandbehang.

Spielmobil aus Holz
Diese bewegliche Form ist ein lustiges Spielzeug für Erwachsene wie für Kinder. Ganz nach Laune kann sie immer wieder neu zusammengebaut und verändert oder auch in der einmal gefundenen Form belassen werden. Die Abbildung zeigt eine etwa 45 cm hohe Figur.

Beim Entwerfen und Zusammensetzen solcher Kollagen aus Holzresten sind der Phantasie keine Grenzen gesetzt.

Spielmobil aus Holz

Man braucht dazu:
Weichholz 100 mm × 100 mm, 12,5 cm lang für den Ständer, Biegbares Stahlband 43 cm lang, 18 mm breit und ca. 3 mm dick; Aluminium eignet sich gut, weil es sich leichter biegen läßt.
Holzabfälle für die Klötze
Alleskleber, Klebstreifen, Klettband, Holzgrundierung, Glanzlack in verschiedenen Farben

Auf den Fotos sehen Sie zwei Möglichkeiten, Holzreste zu verwerten. Oben sind hübsche, kleine Gestalten entstanden, auf der gegenüberliegenden Seite ist das Spielmobil abgebildet, zu dem Sie im Text die Anleitung finden.

Die Holzabfälle werden in unterschiedliche Größen und Formen zersägt, so daß eine Auswahl von etwa vierzig größeren und kleineren Klötzen zur Verfügung steht.

Auf eine Seite der Klötze wird ein Stück Klebstreifen geklebt. Diese Seite kann später am Mittelteil befestigt werden. Bei größeren Klötzen muß auch eine größere Fläche mit Klebstreifen abgedeckt werden. Anschließend werden alle Teile mit Holzgrundierung behandelt. Nach dem Trocknen werden sie mit bunten Lackfarben gestrichen, später werden die Klebestreifen wieder abgezogen. Klettband wird in Stücke geschnitten, die auf die durch die Klebstreifen frei gehaltenen Stellen passen. Die weiche Seite muß frei liegen. Dann werden die Stücke auf die Klötze geklebt. Das Metallband wird mit einem Ende in einen Schraubstock gespannt und leicht gedreht.

In die Mitte des als Ständer dienenden Klotzes werden einige Löcher dicht nebeneinander in der Breite des Metallbandes gebohrt, damit ein Schlitz entsteht. Auf beide Seiten des Metallbandes wird Klettband (mit der rauhen Seite nach außen) geklebt, so daß nur das untere Ende, das in den Ständer kommt, frei bleibt.

Dann wird das Stahlband mit Klebstoff oder Spachtelmasse im Ständer befestigt.

Jetzt können die Klötze in beliebiger Anordnung mit dem Klettband am Mittelstab befestigt werden. Das Spiel besteht darin, die Klötze so lange umzusetzen und anders anzuordnen, bis sie richtig ausbalanciert sind.

Speicher und Trödlerläden sind voll mit alten Möbelstücken, die durch eine Aufarbeitung wieder sehr schön werden können.

Holzflächen freilegen und restaurieren

Viele alte Möbel sind im Laufe der Jahre äußerlich stark in Anspruch genommen worden, von der Struktur her sind sie aber noch völlig in Ordnung. Gerissene Farbe, zerkratzter Lack, zerstörte Oberflächen, die die verschiedenen Farbschichten zutage fördern – all das kann entfernt und repariert werden. Kerben, Kratzer, Risse und Löcher werden ausgespachtelt, und falls sich das Holz verfärbt hat, muß man es bleichen.
Solides Holz wie Kiefer, Eiche oder Buche läßt sich leicht bearbeiten. Falls Ihr Möbelstück jedoch furniert oder sehr empfindlich ist, sollten Sie beim Entfernen von Farbe vorsichtig sein, da einige Mittel (einschließlich Wasser) das Holz aufquellen lassen und den Klebstoff lösen, was zur Folge haben kann, daß das ganze Möbel zusammenbricht.

Politur entfernen
Wachspolitur und geölte Oberflächen. Sie tragen mit feiner Stahlwolle Terpentin (oder Terpentinersatz) auf und gehen anschließend sofort mit einem saugfähigen Lappen darüber. Das wird solange wiederholt, bis das Rohholz vollständig freiliegt.

Schellack, Lackfirnis und alte Lacke
Schellack, Lackfirnis. Hiermit ist der schwarze oder dunkelrote Lack gemeint, den man häufig auf Orientmöbeln findet, und nicht die Farbe, die hinlänglich als Lack bezeichnet wird. Die meisten dieser alten Möbel (nicht alle) sind wertvoll und sollten weder abgebeizt noch neu lackiert werden.
„Alter Lack". Hier ist der altmodische, dicke, braune Lack gemeint, den man auf den Möbeln, die über dreißig Jahre alt sind, findet. Er basiert auf in öligen Flüssigkeiten gelöstem Harz und unterscheidet sich grundlegend von den heutigen Zellulose-, Polyurethan- oder Melaminlacken.
Der sauberste Weg, alten Lack oder Lackfirnis zu entfernen, ist ein Spachtel. Dieses Werkzeug nimmt man auch, um Holz für einen neuen Anstrich vorzubereiten. Der Spachtel braucht keinen Griff zu haben. Man kann auch einen Skarsten-Schaber zum Entfernen nehmen. Er hat eine gezahnte und eine glatte Klinge. Mit der gezahnten Seite wird die Farbe angerissen. Der Spachtel wird auf das flach liegende Holz gesetzt und wird in Richtung der Maserung vom Körper weggedrückt. Man darf niemals quer zur Maserung arbeiten.

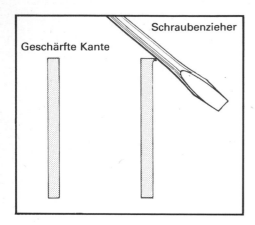

So schärft man einen Schaber.

Ein Spachtel wird wieder geschärft, indem die stumpfe Kante gefeilt wird. Man nimmt dazu einen feinen Ölstein und kippt sie dann mit dem Schaft eines Schraubenziehers um.

Für Löcher und Ecken nimmt man einen alten, aber scharfen Meißel oder einen speziellen Fugenkratzer. Anstelle dessen kann man aber auch ein passendes Stück zerbrochenes Glas benutzen. Man zertrümmert dazu eine dickwandige Flasche und sucht die größeren Teile heraus. Natürlich muß das Stück die richtigen Winkel haben. Zum Arbeiten umwickelt man die Splitter mit einem Lappen oder zieht alte Handschuhe an.

Zelluloselacke und Schellack (Lackfirnis)

Um Zelluloselacke oder Schellack zu entfernen, nimmt man einen konventionellen Abbeizer oder Azeton, Zelluloseverdünner, Ammoniak, Ätznatron oder Terpentin. Am besten probiert man an kleinen Stücken aus, welche die geeignete Flüssigkeit ist. Dabei ist es ratsam, Flächen auszusuchen, die an nicht sichtbaren Stellen sind. Das Möbelstück wird auf Zeitungspapier gestellt und – falls es Füße hat – in Töpfchen gesetzt, um Tropfen aufzufangen. Die Oberfläche wird mit der Flüssigkeit eingestrichen, für die Ecken nimmt man vorsichtig einen Spachtel.

Es ist nicht notwendig, den Oberflächenschutz über ein beschädigtes Gebiet hinaus zu entfernen, wenn das Möbelstück nicht als Ganzes heruntergekommen wirkt, über und über zerkratzt, die Farbe in tausend Risse gesprungen oder weitläufig verfärbt ist.

Ätznatron. Eine Möglichkeit, einen alten Oberflächenschutz zu entfernen, ist, das Möbel ins Freie zu stellen und es mit Ätznatron zu bearbeiten. Zu diesem Zweck löst man das Ätznatron in Wasser auf – man schüttet das Ätznatron in das Wasser, und nicht umgekehrt, andernfalls beginnt die Lösung zu spritzen und zu sprudeln.

Man sollte auch unbedingt einen Overall, Handschuhe und eine Schutzbrille tragen und zum Auftragen ein Tuch verwenden. Der Lack weicht auf und kann entfernt werden. Zum Schluß spritzt man das Möbel mit klarem Wasser ab, und behandelt es mit etwas Essig, um das Ätznatron zu neutralisieren. Durch diese Bearbeitung dunkelt das Holz nach. Man sollte ganz sicher sein, daß es massiv und solide ist, denn Furnier würde sich bestimmt werfen, wenn nicht sogar auflösen.

Ammoniak. Einige der alten Farben (die aber mitunter zum Wert des Möbelstückes beitragen), können nur mit einer kräftigen Ammoniaklösung entfernt werden. Auch durch dieses Verfahren dunkelt das Holz nach.

Moderne Kunstharzlacke. Lackierte Möbel, die nicht älter als 30 Jahre sind, haben normalerweise einen Zellulose-, Kunststoff- oder Polyurethanlack. Der weitverbreitete Polyurethanlack – allgemein als Kunstharzlack bekannt – ist sehr widerstandsfähig. Im allgemeinen braucht man ihn für einen neuen Anstrich nicht zu entfernen, wenn er nicht sehr stark beschädigt ist, oder durch einen zu dicken Auftrag Verzierungen zugestrichen wurden. Falls man ihn entfernen muß, nimmt man Abbeizmittel.

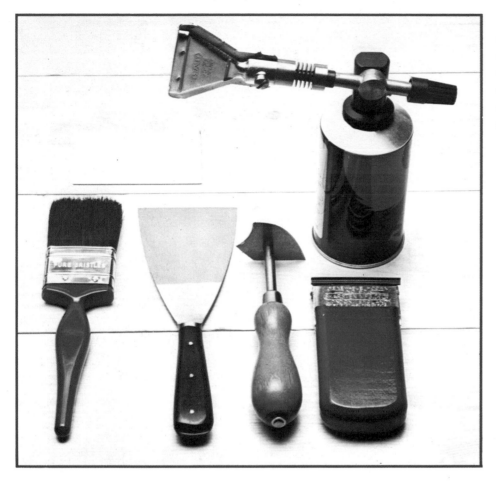

Werkzeuge zum Entfernen alter Oberflächenbehandlungen. Oben: Lötlampe mit Abbrenneraufsatz. Unten, von links nach rechts: Pinsel, Spachtel, Schaber und Skarsten-Schaber mit Doppelklinge.

Furniere

Viele alte Möbel sind vollständig mit Furnier beschichtet. Ein genauer Blick an einer senkrechten Kante einer glatten Fläche zeigt meistens ein Furnier ziemlich genau.

Wenn man Farbe und Lack von Furnier entfernt, sollte man stets bedenken, daß alte Furniere sehr dünn und mit leicht löslichem Leim festgeklebt sind, daher muß man aufpassen, daß weder Wasser noch andere Flüssigkeiten eindringen können. Falls Wasser unter das Furnier kommt, löst es sich, und um das zu reparieren, bedarf es umfangreicher Restaurationsarbeiten.

Furniere oder Intarsien wurden früher nie mit Mitteln behandelt, die Terpentin und ähnliches enthielten, da diese den Klebstoff anlösen. Schnell trocknende, sich leicht verflüchtigende Stoffe wurden in diesem Fall verwendet. Heutzutage nimmt man für Furniere einen stärkeren Klebstoff. Trotzdem sollte man bei starken Mitteln für die Oberflächenbehandlung vorsichtig sein. Wenn man sich nicht ganz sicher ist, sollte man von einer Behandlung absehen.

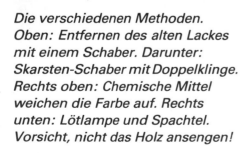

Die verschiedenen Methoden.
Oben: Entfernen des alten Lackes
mit einem Schaber. Darunter:
Skarsten-Schaber mit Doppelklinge.
Rechts oben: Chemische Mittel
weichen die Farbe auf. Rechts
unten: Lötlampe und Spachtel.
Vorsicht, nicht das Holz ansengen!

Farbe entfernen

Wenn die alte Farbe rauh und schartig ist, aber noch gut haftet, so wird man sich mit einem Füller behelfen können. Ist die Oberfläche jedoch total zerstört, muß die Farbe vollständig entfernt werden, sonst ist ein zufriedenstellender Abschluß nicht möglich. Das kann durch chemische Mittel, durch Abbrennen oder einfach durch Abschaben geschehen.

Entfernen der Farbe mit chemischen Mitteln

Chemische Farbentferner gibt es als Flüssigkeiten und auch als Gelees, die sich besonders gut für Möbel mit starken Verzierungen oder Flächen in der Nähe von Glas eignen. Man sollte im Fachgeschäft den Rat des Verkäufers einholen, welchen Spezialentferner man für eine bestimmte Arbeit am besten verwendet.

Mit einer alten Bürste wird das Lösungsmittel vorsichtig auf kleine Flächen aufgetragen, wobei man Risse und Sprünge besonders berücksichtigen muß. Man läßt das Mittel einwirken, damit die Farbe aufweicht und sich abhebt. Wenn die Farbe beginnt, Bläschen zu bilden und zu schäumen, kratzt man sie mit einem Spachtel ab. Die Farbteile sind extrem ätzend und sollten sofort verbrannt oder in Zeitungspapier verpackt in den Mülleimer geworfen werden, außer Reichweite von Kindern und Haustieren. Die Abbeizen nehmen selten die Farbe an einem Stück ab, und entfernen meistens immer nur die oberste Farbschicht. Deshalb können unter Umständen mehrere Arbeitsgänge notwendig werden. Während der Arbeit sollte man alte Kleidung und Handschuhe tragen, um sich vor Spritzern und Hautverätzungen zu schützen, da diese Mittel wie gesagt sehr scharf sind. Man sollte, falls notwendig, auch die Augen mit einer Brille schützen und nach Möglichkeit im Freien arbeiten, oder die Fenster weit öffnen, um die Bildung von Dämpfen zu vermeiden. Falls Abbeizer auf die Haut gelangt, muß man ihn mit viel Wasser schnell entfernen.

Wenn das Holz ganz frei liegt, wird es mit Terpentinersatz abgewaschen. Er wird mit feiner Stahlwolle sorgfältig in die Oberfläche eingearbeitet. Wenn er verdunstet ist, geht man mit Sandpapier über das Holz. Dadurch werden letzte Spuren des Abbeizers entfernt.

Abbrennen

Abbrennen ist die schnellste Methode, Farbe zu entfernen. Man nimmt dazu eine Lötlampe, wobei spezielle Farbabbrenneraufsätze die Arbeit erleichtern, die in verschiedenen Größen erhältlich sind. Man wird von Fall zu Fall entscheiden, welche Größe geeignet ist.

Die Lötlampe sollte stets mit größtem Respekt behandelt werden, und man muß anstelle von Zeitungspapier zum Abdecken des Bodens Asbeststücke nehmen. Wenn Sie die Lötlampe zum ersten Mal in der Hand haben, sollten Sie ein ebenes Stück bearbeiten. Schwierige Flächen wie Vertiefungen und Teile um Spiegel behandelt man besser mit Abbeizer, da das Glas unter der Hitzeeinwirkung brechen kann, insbesondere, wenn die Flamme zu groß ist oder zu lange an eine Stelle gehalten wird. Die Flamme wird über der Fläche hin und her geführt, damit die Farbe schmilzt, aber der Holzgrund darf dabei nicht beschädigt werden. Wenn sich die Farbe kräuselt, wird sie mit einem breiten Spachtel abgekratzt, der Spachtel wird so gehalten, daß die Farbe nicht auf die Hand fallen kann. Die Farbreste kommen in eine alte Blechdose. Gewöhnen Sie sich an, die Flamme während des Abschabens nicht gegen die Holzfläche zu halten, damit diese nicht aus Versehen angesengt wird, oder die Farbe zu brennen beginnt.

Mechanisches Farbentfernen

Man braucht dazu:
Einen Schaber mit Doppelklinge
Für kleine Flächen wird ein Schaber mit Doppelklinge benutzt. Die gezahnte Seite nimmt man zum Anreißen der Farbe, mit der glatten Klinge entfernt man die verbleibenden Reste. Für größere Flächen ist diese Methode aber ungeeignet, hier sollte man zu chemischen Mitteln greifen.

Abbeizen

Man braucht dazu:
Abbeizer oder ein entsprechendes Mittel
Einen alten Pinsel zum Auftragen
Einen dicken Borstenpinsel, um das Mittel auch in Risse einzuarbeiten (Stahlwolle ist ebenfalls geeignet)
Einen Allzweckspachtel zum Entfernen der Farbe. Diese Spachtel sind in verschiedenen Größen auch für Ecken und Verzierungen erhältlich.
Ein Gefäß mit Wasser, Essig zum Neutralisieren von Spritzern, einen alten Lappen
Alte Handschuhe und eine Schutzbrille
Asbest oder eine dicke Lage Zeitungspapier zum Abdecken des Bodens
Einen Behälter (nicht aus Kunststoff) für die Farbabfälle

Abbrennen

Man braucht dazu:
Lötlampe, einen breiten Spachtel
Asbest zum Schutz des Bodens
Behälter (kein Kunststoff) für die Farbabfälle
Terpentinersatz um die Oberflächen zu säubern, und mittleres Sandpapier, um diese aufzuschließen

Löcher und Risse spachteln

Die Oberfläche eines bemalten Möbels wird zunächst durch Ausbessern von Fehlern im rohen Holz und durch Auffüllen von Rissen mit Holzkitt oder einer anderen, nicht schrumpfenden Füllmasse in Ordnung gebracht. Übergänge werden mit Sandpapier geglättet.

Löcher (größer als ein normales Schlüsselloch) sollten mit passenden Holzstücken ausgebessert werden. Dabei muß die Maserung des Ersatzstückes dem Verlauf der Hauptfläche entsprechen. Das Stück wird mit Leim oder Alleskleber so eingeklebt, daß es bündig mit der Fläche abschließt.

Bleiche

Man bleicht hauptsächlich aus zwei Gründen: Erstens, weil man das Holz im Ganzen aufhellen will, und zweitens, um lokale Verfärbungen zu entfernen, wobei in dem Fall das Bleichen des ganzen Möbelstückes nicht notwendig ist. Im übrigen können Schattierungen oder unterschiedliche Färbungen durchaus natürlich sein und harmonisch wirken.

Normale Haushaltsbleiche ist stark verdünnt und für die meisten Holzarbeiten zu schwach. Stärkere Lösungen können aus kristallisiertem Bleichmittel und Wasser hergestellt werden, wobei die Kristalle vorsichtig in das Wasser gegeben werden und nicht umgekehrt, weil sonst die Lösung sprudelt und spritzt, und Verätzungsgefahr besteht. Man sollte wo immer möglich normale Holzbleichen verwenden.

Natriumhypochlorit eignet sich bestens, um Farbe aus Holz zu entfernen, für Tintenflecke oder durch Metall entstandene Flecken sollte man aber Oxalsäure verwenden – die in kristalliner Form erhältlich ist. Wie die meisten Bleichen ist auch diese sehr giftig. Besonders bei starken Bleichen muß man darauf achten, daß sie nicht den Klebstoff, mit dem Furniere angeleimt sind, angreifen.

Auf jeden Fall sollte man die Gebrauchsanweisung gründlich durchlesen. Diese wird auch Auskunft darüber geben, wie lange ein Bleichmittel auf dem Holz bleiben muß.

Endarbeiten

Farbe entfernen und das Bleichen stellt die Holzfasern an der Oberfläche auf, insbesondere, wenn es sich um Weichholz handelt. Deshalb schleift man es nach dem vollständigen Abtrocknen mit mittlerem Schleifpapier in Faserrichtung ab. Dann kann das Holz geölt, gebeizt, lasiert oder gestrichen werden.

Die Wahl der Bearbeitungsart hängt von dem Verwendungszweck ab, und auch nicht zuletzt vom Standort, denn sie muß mit der anderen Einrichtung in Einklang stehen. Ein anderer Faktor, der bei der Endbehandlung berücksichtigt werden muß, ist der Zustand des Holzes. Hat es eine schöne Maserung, sollte man einen durchscheinenden Abschluß wählen. Hier ist eine simple Wachsbehandlung, eine Lasur oder ein extrem widerstandsfähiger Lackfirnis möglich, je nachdem, welcher Schutz für das Möbelstück notwendig ist. Durchscheinende Mittel gibt es in einer großen Farbauswahl. Auf den nächsten Seiten werden Oberflächenbehandlungen näher erläutert.

Diese Kommode ist durch das sorgfältige Entfernen des alten Lackes wieder sehr schön geworden. Der neue Oberflächenschutz kann ein einfacher Firnis oder auch jede farbige Holzlasur sein.

Oberflächen- behandlungen für Hölzer

Bienenwachs-Politur herstellen

Man braucht dazu:
Bienenwachs, Terpentin
Bienenwachs in kleine Stücke schneiden, in eine Dose füllen und in heißes Wasser stellen. Soviel Terpentin zufügen, daß das Wachs bedeckt ist und gut zu einer Paste verrühren. Die Dose muß dazu nicht unbedingt im Heißwasserbad stehen, aber ohne Erwärmung dauert es länger, bis sich das Wachs gelöst hat. Eine offene Flamme darf nicht in die Nähe der Dose kommen, denn nicht nur das Terpentin, sondern auch seine Dämpfe sind leicht entflammbar. Deshalb die Dose niemals zum Erwärmen direkt auf einen Herd stellen. Gefärbt wird die Politur mit Lampenruß oder pulverisierten Erdfarben. Bei solchen Experimenten werden erst Proben an einem Abfallholz oder einer nicht sichtbaren Stelle durchgeführt, wie das überhaupt für alle Erstversuche zu empfehlen ist.
Die Paste gut mischen und in einem luftdichten Behälter aufbewahren.

Bei allen Holzarbeiten ist eine Oberflächenbehandlung unerläßlich. Nach dem Verlust des natürlichen Schutzmantels, der Rinde, wird jedes Holz – ganz gleich, wie schön es unbearbeitet zunächst auch wirken mag – bald seine Schönheit verlieren, sich verziehen und schmutzig aussehen. Aber nicht nur das Aussehen leidet, das Holz wird auch angegriffen und hat deshalb eine kürzere Lebensdauer. Früher brauchten die Handwerker Jahre, um zu erlernen, wie Polituren angefertigt werden. Heute gibt es eine große Auswahl leicht aufzutragender Mittel zur Behandlung der Holzoberfläche. Sie reichen von völliger Transparenz, durch die die natürliche Schönheit des Holzes noch hervorgehoben wird und die es schützen, ohne seine Eigenart zu verändern, bis zu Mitteln, die das Holz dunkler tönen oder es in jeder beliebigen Farbe färben, ohne die Wirkung der Holzmaserung zu beeinträchtigen.
Diese neuen Mittel haben weitgehend die altüberlieferten und weniger widerstandsfähigen Firnisse verdrängt.

Wachspolitur
Wachs ist eines der am leichtesten aufzubringenden Oberflächenmittel und erzeugt einen schwachgelb schimmernden, herrlich weichen Glanz. Aber Fingerabdrücke und dergleichen bleiben darauf sichtbar und es verträgt keine Wärme. So eignet sich diese Politur am besten für rein dekorative Holzflächen und Gegenstände, die nicht angefaßt werden müssen.
Wachspolitur basiert ursprünglich auf Bienenwachs, oft vermischt mit Karnauba-Wachs, das aus den Blättern einer aus Brasilien stammenden Pflanze gewonnen wird. Wachspolituren werden in großer Auswahl vom Handel angeboten, können aber auch selber hergestellt werden (siehe links). Die handelsüblichen Sorten haben gewöhnlich Beimischungen, um die Schutzwirkung zu verbessern, oder um ihnen einen angenehmen Geruch zu verleihen.
Eine der besten Oberflächenbehandlungen für rohes Holz ist das ein- oder zweimalige Streichen mit farblosem Kunstharzlack und einer darauf aufgetragenen Wachspolitur, obgleich das Wachs auch ohne Vorbehandlung aufgebracht werden könnte. Wachspolitur wird dünn mit einem Lappen eingerieben und dann mit einem fusselfreien Tuch oder einer sehr weichen Bürste poliert. Darauf folgt ein zweiter Wachsauftrag, der ebenfalls poliert wird. Zwischendurch sollte jede Schicht einen Tag ru-

hen, damit das Wachs sich festigt. Dieser Vorgang wird solange wiederholt, bis sich ein schöner, tiefer Glanz zeigt. Durch Abreiben mit einer sehr feinen Stahlwolle bildet sich eine matte und unempfindliche, aber auch weniger glänzende Oberfläche.

Leinöl

Leinöl ist ein gutes und sehr altes Mittel zur Oberflächenbehandlung, dessen Wirkung mit jedem Auftrag und überhaupt mit der Zeit immer schöner wird. Das Holz wird dadurch etwas dunkler. Zu Anfang nimmt das Leinöl jedoch leicht Schmutz an und färbt ab. Für dunkle Hölzer wie z. B. Teak ist es sehr gut geeignet, sollte jedoch nicht für Lebensmittelbehälter benutzt werden, weil es mitunter den Geschmack der Nahrungs-

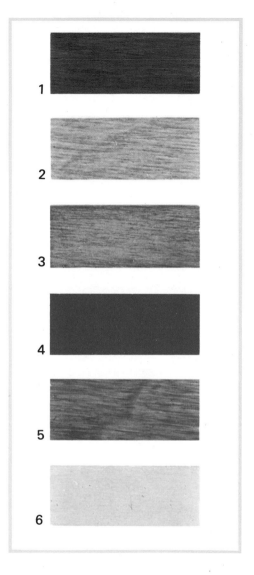

Holzschutzmittel sind transparent und in vielen Farben erhältlich. Der sich schließlich ergebende Farbton hängt von der Tönung des Holzes und der Anzahl der Anstriche ab. Die Farben sind untereinander mischbar. Diese Holzschutzmittel sind außerordentlich widerstandsfähig.

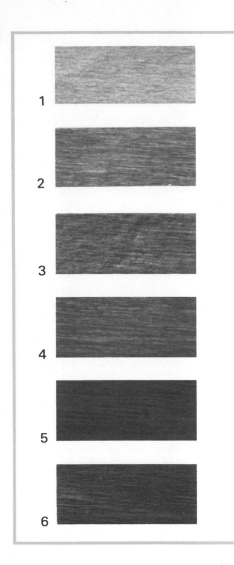

Holzschutzmittel in Holzfärbungen, hier auf hellem Holz: 1. Kiefer; 2. Eiche; 3. Walnuß; 4. Teak; 5. Mahagoni; 6. Dunkle Eiche.

mittel beeinträchtigt. Leinöl gibt es in jeder Drogerie. Es kann auch abgekocht gekauft werden. Dieses Präparat hat den Vorteil, daß es schneller trocknet, weil schon vor dem Auftragen das Wasser teilweise entzogen ist. Das Öl wird mit einem Lappen in die Holzoberfläche eingerieben. Wenn sich das Holz so wenig wie möglich verfärben soll, wird das Öl mit der gleichen Menge Terpentin gemischt. Das Leinöl wird sparsam und dünn aufgetragen und muß dann einige Stunden in das Holz einziehen. Dabei darf kein überschüssiges Öl auf der Fläche stehen. Das Holz muß ganz trocken sein, ehe der nächste Auftrag erfolgt. Dieser Vorgang wird zwei oder drei Wochen lang täglich wiederholt, bis das Holz nicht mehr aufnahmefähig ist. Dann wird die Oberfläche mit einem weichen Tuch kräftig poliert. Um den Glanz zu erhöhen, kann unter Umständen noch eine Wachspolitur aufgetragen werden.

Teaköl
Ein moderner Ersatz für Leinöl ist Teaköl, das schneller trocknet und das Holz noch etwas stärker färbt. Es ist für Teakholz am besten geeignet, kann aber für alle dunklen, grobgemaserten Harthölzer genommen werden. Auch die Verwendung für Weichholz ist möglich, wenngleich hier ein festerer Überzug besser ist.
Teaköl wird wie Leinöl eingearbeitet.

Pflanzenöl
Mit Olivenöl können Salatschüsseln und alle hölzernen Essensgefäße behandelt werden. Jedes Getreideöl, das als Speiseöl im Handel ist, eignet sich ebenfalls. Alle Öle werden wie Leinöl mit einem Lappen eingerieben. Dadurch entsteht eine eher matt schimmernde Oberfläche als eine glänzende Politur.

Kunstharz-Holzschutzmittel
Sie sind das Ergebnis moderner, technischer Entwicklung und bilden eine extrem feste, transparente Oberfläche. Sie sind farblos und auch in vielen verschiedenen Farbtönen erhältlich. Der größte Vorteil dieser Produkte liegt in ihrer außergewöhnlichen Widerstandsfähigkeit: Bei sorgfältiger Verarbeitung vertragen sie praktisch alles, sogar kochendes Wasser, wenn auch die Hitze das darunterliegende Holz unter Umständen schädigen kann. Weil sie so wasserundurchlässig sind, eignen sie sich besonders für Bad und Küche. Vor der Verarbeitung sollte man die Gebrauchsanweisung sorgfältig lesen, denn es gibt Mittel, bei denen das endgültige Aushärten 14 Tage dauert. Im Handel sind zwei verschiedene Sorten erhältlich: Einmal die fertig gemischten Präparate, die direkt aus der Dose aufgetragen werden können, zum anderen die Zwei-Komponenten-Versiegler, die schneller trocknen, aber vorher gemischt werden müssen. Das Mischen erfolgt nach Gebrauchsanweisung, wobei der Bedarf sorgfältig zu berechnen ist, denn die Mischung ist nur einen Tag

streichfähig. Kunstharz-Präparate können mit reinem Spiritus gemischt werden. Wie bei allen Polituren wirken auch hier mehrere dünne Aufträge besser als ein dicker.

Holzbeizen

Beizen ist eine einfache Methode des Holzfärbens. Dabei lassen sich die verschiedensten Resultate erzielen, indem entweder ganze Flächen einfarbig mit einer Beize behandelt oder aus verschiedenen Beizen Muster gestaltet werden. Jedes Möbelstück kann abgebeizt und neu behandelt werden, aber auch sonst gibt es viele Anwendungsmöglichkeiten für Holzbeizen. Kleine Flächen können gemustert werden, aber auch große Flächen, wie Wandverkleidungen und Raumteiler.

Beizen unterscheiden sich von farbigen Kunstharzlacken dadurch, daß sie in das Holz eindringen, statt einen farbigen Film auf der Oberfläche zu bilden. Dadurch bleibt die charakteristische Maserung des Holzes sichtbar. Die Beize wird vom Holz aufgesogen und wirkt tief und transparent, denn sie enthält meistens ein Grundierungsmittel.

Das Mischen von Beizen gleicht dem von Wasserfarben und bietet alle Möglichkeiten, die vom Umgang mit dem Malkasten bekannt sind. Diese Technik läßt viel mehr Gestaltungsfreiheit als das Arbeiten mit farbigen Lacken, denn ohne Schwierigkeiten können auf einem Werkstück mehrere Farbtöne benutzt werden, so daß sowohl einfarbig als auch bunt gearbeitet werden kann.

Beizen werden nach verschiedenen Methoden hergestellt, sie können aber immer mit Wasser angereichert werden, ganz gleich, ob sie pulverisiert, mit Wasser oder Alkohol gebunden sind. Allein dadurch sind viele

Gegenüberliegende Seite: Ein Wandschirm aus Sperrholz; das Bild entstand durch farbiges Beizen der unbehandelten Oberfläche.

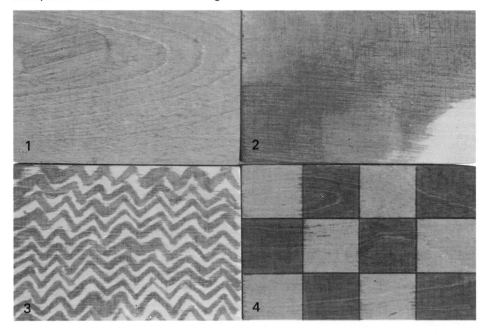

Links: 1. einfaches Einfärben; 2. zwei Farben mit einem Tuch aufgetupft; 3. nach dem Trocknen einer ersten Farbe eine zweite mit dem Pinsel aufgetragen; 4. einritzen der Quadrate mit einem Kugelschreiber, um das Auslaufen zu verhindern.

Dieses Backgammon-Spielbrett ist aus Sperrholz, das mit Beizen eingefärbt wurde.

Farbabstufungen möglich, und sie sind wie gesagt mischbar. Auf jeden Fall sollte man die Gebrauchsanweisung beachten und prüfen, ob die spezielle Beize für die vorgesehene Arbeit geeignet ist.

Manche Beizen sind reine Färbemittel, andere dagegen schützen das Holz gleichzeitig wirksam gegen Fäulnis und Ungeziefer, so daß sie auch und besonders für Außenarbeiten geeignet sind. Es kann also jede Beize benutzt werden, solange es sich nur um die Verschönerung handelt. Soll das Holz aber geschützt werden, dann muß man auf die Verwendung der richtigen Beize achten. Beide Sorten gibt es in vielen Farben. Wird ein für außen bestimmtes Holzschutzmittel in geschlossenen Räumen benutzt, muß man sicher sein, daß es nach dem Trocknen geruchlos ist. Holzschutzmittel sind giftig und dürfen nicht in der Nähe von Lebensmitteln oder in Reichweite von Kindern gelagert werden.

Oberflächenbehandlung

Gegenüberliegende Seite: Mustervorschlag für ein gebeiztes Kästchen. Die fertige Schachtel ist auf der folgenden Seite zu sehen.

Gebeizte Flächen können durch einen matten oder glänzenden Kunstharz-Firnis geschützt werden. Dabei ist es wichtig, darauf zu achten, daß gleiche Fabrikate benutzt werden, es könnte sonst passieren, daß der Firnis die Beize herauszieht. Wachspolituren eignen sich für gebeizte Flächen nicht sehr gut.

Ein Kästchen beizen

Man braucht dazu:
Ein kleines Holzkästchen mit unbehandelter Oberfläche – erhältlich in Bastelgeschäften, für erste Versuche reicht eine Zigarrenkiste, Holzbeize – Farbe nach Wahl
Feines Sandpapier, feine Stahlwolle
Farblosen Kunstharz-Firnis, matt oder glänzend
Kleiner, weicher Haarpinsel

Eingebeizte Muster

Man braucht dazu:
Ein längliches Holzkästchen mit unbehandelter Oberfläche
Holzbeizen in verschiedenen Farben
Kleine, weiche Haarpinsel
Feines Sandpapier
Schwarzer Kugelschreiber, Lineal
Farblosen Kunstharz-Firnis

Muster

Zunächst sollte man an kleinen Abfallstücken Versuche anstellen, wie die Beize einzieht, wie sie wirkt, wenn zwei oder drei Farben ineinanderlaufen und wie das freihändige Entwerfen von Mustern gelingt. Umrandete Muster aus Linien und geometrischen Formen sind leicht auszuarbeiten. So kann z. B. auf einer Tischplatte in der Mitte ein Viereck oder Kreis in einer anderen Farbe gebeizt werden. Auch für kleinere Muster wie z. B. ein Schachbrett oder ein Backgammon-Brett eignet sich diese Technik. Zuerst zeichnet man aber immer das Muster in Originalgröße auf Papier, das dann mit Pauspapier und einer Stricknadel oder einem Nagel auf das Holz übertragen wird.

Holzkästchen beizen

Die Oberfläche wird mit Sandpapier geschmirgelt, bis sie ganz glatt ist und der Staub mit einem feuchten Tuch abgerieben. Die Beize schüttelt man kräftig und gießt nun eine kleine Menge in eine Untertasse oder ein anderes flaches Gefäß, oder befolgt die Gebrauchsanweisung.
Auf der Außenseite des Kästchens wird die Beize mit einem feinen Pinsel in Richtung der Maserung aufgetragen. Für die Innenseite wird die Beize zu 50% mit Wasser verdünnt.
Das Kästchen muß mindestens zwei Stunden trocknen.
Dann wird es behutsam mit feiner Stahlwolle abgerieben, um letzte Unebenheiten zu beseitigen.
Zum Schluß bekommt es noch einen Überzug aus farblosem Kunstharz-Firnis. Eine Schicht schützt die Oberfläche und verleiht ihr einen matten Glanz, drei Schichten erzeugen eine hochglänzende Oberfläche. Zwischen den einzelnen Schichten wird diese mit Stahlwolle abgerieben.

Eingebeizte Muster

Man schmirgelt die Oberfläche des Kastens mit feinem Sandpapier glatt und entfernt mit einem feuchten Lappen den Staub.
Das Muster wird mit schwachen Bleistiftstrichen aufgezeichnet und anschließend mit einem Kugelschreiber mit leichtem Druck nachgezogen, so daß die Holzoberfläche etwas eingedrückt wird. So verhindert man das Verlaufen der Farben in angrenzende Felder. Die gewünschten Farben werden mit dem Pinsel aufgetragen. Man sollte nicht zu viel Beize mit dem Pinsel aufnehmen und immer nur kleine Flächen einfärben.
Die Innenseite des Kästchens wird ebenfalls gebeizt. Wenn sie heller sein soll, verdünnt man die Beize mit Wasser.
Zum Schluß wird die Oberfläche wie beim oben beschriebenen, einfarbigen Kästchen versiegelt.

So lackiert man richtig

Farbe bietet für die dekorative Oberflächenbehandlung die meisten Möglichkeiten. Sie ist in nahezu allen vorstellbaren Abstufungen erhältlich, so daß jeder Gegenstand genau nach individuellen Farbvorstellungen gestrichen werden kann. Und außerdem ist es der Oberflächenschutz, der sich am leichtesten wieder entfernen läßt, wenn man sich ihn übersehen hat.

Um auf rohem Holz eine glatte Oberfläche zu bekommen, müssen jedoch sehr sorgfältige Vorarbeiten geleistet werden. Wenn man aber einige Grundregeln beachtet, gibt es keine Schwierigkeiten. Und weil Farben decken, verschwinden alle vielleicht vorhandenen Fehler und Unschönheiten des Holzes mit dem Anstrich. Keinesfalls sollte man aber eine schöne Holzmaserung überstreichen. Häufig kann ein Stück, das auffällige Mängel hat, noch durch einen gekonnten Anstrich gerettet werden.

Die Farbwahl

In jedem Farbengeschäft gibt es heute ein verwirrendes Angebot an Farben. Die Wahl hängt ganz davon ab, was mit dem Anstrich bezweckt werden soll. Braucht man eine sehr feste Oberfläche, ist die Widerstandsfähigkeit der Farbe, z. B. gegen Hitze, Alkohol oder Schlagfestigkeit wichtig.

Acryl-Emulsionsfarben bilden einen Seidenglanz oder eine matte Oberfläche. Sie basieren auf Harzen, können aber mit Wasser verdünnt werden.

Ölfarben sind fast ganz von den Farben auf Alkyd-Harz-Basis verdrängt worden. Diese sind die gebräuchlichsten Holzfarben und in vielen Sorten erhältlich: matt, glänzend oder seidenmatt (auch Eierschale oder Lüster genannt).

Thixotrope oder nichttropfende Farben sind seit Mitte der 60er Jahre bekannt. Sie sind geleeartig und dürfen nicht umgerührt werden, da sie sonst für etwa eine Stunde flüssig sind. Sie bilden eine dickere Schicht als flüssige Farben (fast doppelt so dick) und sind besonders für einen Neuanstrich in einer anderen Farbe geeignet. Auf einer bereits vorgestrichenen Fläche kann ein einmaliger Anstrich ausreichen, aber bei rohem Holz muß man auch bei dieser Farbe grundieren und ein Vorstrich ist ratsam.

Mit Farbe und Fantasie kann man ein altes, unansehnliches Möbelstück in einen Blickfang verwandeln. Man braucht dazu allerdings Geduld und Sorgfalt.

Emulsionsfarben sind mit Wasser hergestellt, daher lassen sich Pinsel leichter reinigen und Spritzer besser entfernen.

Sie können auch mit Wasser verdünnt werden, notwendig ist es aber nicht. Diese Farben erzeugen eine matte Oberfläche und sind sehr gut für Wände und Decken geeignet – weniger für Holz, höchstens als Vorstrichfarbe. Wer sie aber wegen des großen Farbangebots trotzdem benutzen möchte, sollte sie mit einem dünnen Auftrag Kunstharz-Versiegler dauerhaft machen.

Den Arbeitsplatz einrichten

Vor Beginn der Arbeit sollte man die Lichtverhältnisse prüfen. Tageslicht ist am günstigsten, bei Nachtarbeit muß man unbedingt für ausreichende Beleuchtung sorgen, denn bei Dämmerlicht werden leicht Unebenheiten übersehen, und das kann sich später sehr störend bemerkbar machen.

Der Boden, die Tischplatte und die nächste Umgebung werden mit Zeitungspapier oder alten Tüchern abgedeckt.

Knöpfe, Griffe und dergleichen werden vor Beginn der Arbeit vom Gegenstand, den man streichen will, entfernt. Schubladen werden herausgenommen und aufrecht gestellt, weil waagrechte Flächen sich leichter streichen lassen als senkrechte. Der Gegenstand wird auf Holzblöcke oder Bretter gesetzt, so daß er über dem Boden oder der Tischplatte steht. Dadurch wird verhindert, daß während des Streichens der unteren Kanten am Pinsel Staub oder Schmutz hängen bleiben kann.

Den Holzgrund vorbereiten

Die sorgfältige Vorbereitung des Holzes ist für ein erfolgreiches Streichen sehr wichtig. Die Oberfläche muß absolut sauber und glatt sein. Aststellen müssen verspachtelt werden, sonst kann es passieren, daß Harz durch die Farbe hindurch sichtbar wird. Solche Aststellen werden mit einer dünnen Schicht normaler Schellack-Spachtelmasse gestrichen, die gut trocknen muß. Schellack ist ein harzhaltiges Produkt, das zum Grundieren und Lackieren benutzt wird. Glatte und einwandfreie Holzflächen müssen vor dem Grundieren unter Umständen nur mit Sandpapier geschliffen werden. Kerben und Haarrisse müssen auf jeden Fall verspachtelt werden, besonders bei grobfasrigem, hellem Holz, das unter Einwirkung von Feuchtigkeit aufquellen kann. Für eine selbsthergestellte Füllmasse werden 20 g einer Zellulose-Holzspachtelmasse und die gleiche Menge PVA-Leim zu einer Paste verarbeitet und mit Wasser zu einer cremeartigen Masse verdünnt. Genauso gut kann natürlich eine handelsübliche Spachtelmasse genommen werden. Dieses Füllmaterial wird mit einem Spachtel so dünn wie möglich aufgebracht, wobei immer nur kleine Flächen verspachtelt werden. Nach etwa einer Stunde können sie mit feinem Sandpapier geschliffen werden.

*Streichen kostet viel Zeit und
Geduld. Am günstigsten ist Tageslicht. Will man gute Ergebnisse erzielen, muß man die Gebrauchsanweisung genau beachten.*

*Links: Bei unebenen Flächen wird
in Kerben und Kratzer Spachtelmasse mit einem biegsamen
Spachtel gut eingestrichen.*

Grundieren

Das Grundieren ist der erste von drei beim Streichen aufeinander folgenden Arbeitsgängen. Damit werden lose Teilchen gebunden, die Oberfläche geschlossen und ein dichter, nicht absorbierender Untergrund für
den ersten Anstrich geschaffen. Schon einmal gestrichenes Holz muß in
der Regel nicht mehr grundiert werden, wenn es nicht vollständig abgebeizt wurde. Rohes Holz braucht dagegen immer eine Grundierung.
Es wird soviel Grundierung in eine Dose gegossen, daß der eingetauchte
Pinsel höchstens bis zur Hälfte darin steht – Farbtöpfe sollten niemals
mehr Farbe enthalten, damit der Pinsel nicht überladen wird. Nach dem
Eintauchen des Pinsels wird überschüssige Grundierung am Innenrand
des Topfes abgestreift. Sie ist sorgfältig in Maserrichtung aufzutragen, so
daß sich ein dünner, aber gleichmäßiger Film bildet.
Die Grundierung muß 24 Stunden trocknen. Pinsel und Topf sollten nach
dem Streichen sofort gesäubert werden.
Nach dem Trocknen wird die Oberfläche mit feinem Sandpapier in Maserrichtung leicht abgezogen und der Staub mit einem mit Spiritus ange-
feuchteten Lappen abgewischt.

Vorstrich

Durch das Vorstreichen entsteht ein gleichmäßig glatter Untergrund für den Endanstrich. Bei weißer Farbe sind zwei Vorstriche ratsam, bei farbigem Lack reicht einer aus.

Der Pinsel wird bis zu einem Drittel der Borstenlänge eingetaucht und am inneren Rand des Farbtopfes oder an einer quer über die Öffnung gespannten Schnur abgestreift. Anfänger machen oft den Fehler, zuviel Farbe auf den Pinsel zu nehmen, wodurch häßliche Unebenheiten entstehen. Beim richtigen Auftrag wird die Farbe soweit ausgestrichen, wie es eine gleichmäßige Färbung erlaubt. Der erste Strich erfolgt in Maserrichtung des Holzes. Bevor er wieder in die Farbe getaucht wird, wird er nochmals gegen die Maser über die gleiche Fläche gezogen. Dadurch werden die Pinselansätze vom ersten Strich ausgeglichen.

Nun wird der Pinsel ganz flach gehalten und nochmals zart zurückgezogen, wobei die gestrichene Fläche kaum noch berührt wird. Gestrichen wird immer in Faserrichtung und weg vom Neuansatz (dem »nassen« Ansatz). Auf schon gestrichene und noch nasse Stellen darf niemals erneut gestrichen werden. Vielmehr wird der Pinsel eine Strichlänge entfernt neu angesetzt und in Richtung auf die vorher gestrichene Partie gezogen. So vermeidet man, daß die Farbe auf einigen Stellen dicker steht, wodurch die Oberfläche ungleich würde. Besonders vorsichtig muß man bei Kanten, Verbindungen und aufgesetzten Leisten sein, weil sich die Pinselhaare dort leicht festhaken. Falls an einer Stelle Farbe verlaufen sollte, muß sofort der gut abgestreifte Pinsel gegen die Laufrichtung geführt werden. Ausgefallene Pinselhaare werden durch Stupfen mit dem Pinsel entfernt. Nach 24 Stunden ist der Vorstrich trocken (Acryl-Vorstrichfarben nach 2 Stunden) und Verschmutzungen oder Pinselstriche können mit feinem Sandpapier bearbeitet werden. Der Staub wird sorgfältig abgewischt. Ein ungleichmäßiger Vorstrich kann die ganze Arbeit verderben. In diesem Fall lohnt sich ein zweiter, sorgfältig aufgebrachter Vorstrich.

Deck-Anstrich

Lackfarben sind dickflüssiger als Vorstrichfarben und werden deshalb dichter aufgebracht, aber die letzten Pinselstriche sollten beinahe noch zarter als bei der Vorstrichfarbe gezogen werden. Grundsätzlich ist die Technik aber gleich. Ganz besonders wichtig ist, daß neue Pinselstriche an zuvor gestrichenen Partien ergänzt werden, solange diese noch naß sind. Bei schlechten Lichtverhältnissen kann die Glätte der glänzenden Oberfläche trügerisch sein – deshalb sollte wenigstens der letzte Anstrich bei Tageslicht ausgeführt werden.

Thixotrope Farben erfordern eine andere Auftragtechnik, um die Vorteile der geleeartigen Beschaffenheit auszunutzen. Sie dürfen auf keinen Fall umgerührt werden. Die Farbschicht ist bedeutend dicker als bei flüssigen Farben und sehr widerstandsfähig.

Man muß sich nicht auf nur eine Farbe beschränken. Dieser Küchenschrank wirkt mit den verschiedenen Farbtönen sehr attraktiv.

Buntbemalte Kommoden

Bemalte Kommoden

Man braucht dazu:
Einen weichen Bleistift, Tesa-Krepp, Schneiderpapier
Steifen Karton für Sternschablonen (nach Wunsch)
Emaillefarben in acht Tönen: gelb, orange, beige, hellgrün, himmelblau, weiß, braun, dunkelblau
Einige Pinsel
Weißen Spiritus zum Reinigen, weiße Grundierung
Langes Lineal (nach Wunsch), Winkelmesser (nach Wunsch)

Bemalte Hellholzmöbel sind preiswert wie auch nützlich. Die hier gezeigten Kommoden sind sehr fantasievoll und dabei einfach zu machen. Gleichzeitig vermitteln sie einen Einblick in die Bandbreite der Möglichkeiten, von dem einfachen Baummotiv bis hin zu dem schon schwierigeren Dschungelmuster auf S. 48.

Alle diese Muster können auf Kommoden von beliebiger Größe übertragen werden. Sie wurden für Rohholzkommoden, wie man sie in jedem Warenhaus kaufen kann, entworfen, eignen sich aber ebenso für alte Möbel, die eine Auffrischung brauchen können. Kommoden ohne Schubladenknaufe sind am besten, obwohl die Knaufe natürlich auch in das Muster einbezogen werden können.

Die Oberfläche vorbereiten

Ob Sie nun eine Rohholzkommode oder ein bereits bemaltes, altes Möbel, auf dem bereits mehrere Farbschichten übereinander sind, nehmen, sie müssen in jedem Fall die Oberfläche zuerst mit feinem Sandpapier

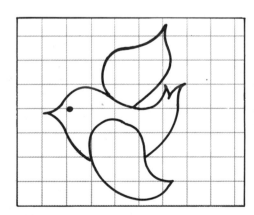

schleifen und mit weißem Spiritus abreiben. Unbemalte Möbel werden mit weißer Grundierfarbe vorgestrichen.
Falls man altes Inventar neu streicht, muß man sicher sein, daß die Oberfläche glatt und in gutem Zustand ist. Einige Stücke muß man zuerst ausbessern, bevor sie erneut bemalt werden können.

Farbe
Alle hier gezeigten Muster sind mit Emailfarbe gemalt, wie sie in jedem Heimwerkergeschäft erhältlich ist. Mindestens zwei, mitunter auch drei Anstriche sind normalerweise erforderlich und falls eine Hintergrundfar-

Ein Tagesablauf ist auf dieser Kommode aufgemalt: Sonnenaufgang, Mittag und ein Sternenhimmel. Die Abstellfläche zeigt die Baumkrone aus der Vogelperspektive.

Das Dschungelmotiv ist auf einen Untergrund aus Emailfarbe aufgetragen.

be gebraucht wird, werden zwei Schichten Emailfarbe aufgetragen, bevor das eigentliche Muster gemalt wird.

Da Emailfarbe tropft, wenn sie senkrecht aufgetragen wird, sollte man immer nur waagerecht arbeiten. Das ist zeitraubend, denn diese Farbe braucht einige Stunden, bevor sie vollständig getrocknet ist, was aber notwendig ist, da die Kommode immer wieder gedreht werden muß, um die nächst Seite bemalen zu können, wobei die unten liegende Seite natürlich nicht mehr feucht sein darf. Der ganze Malprozeß wird also einige Tage in Anspruch nehmen. Der Erfolg gibt den Anstrengungen aber recht, denn die Oberfläche wird glatt und widerstandsfähig sein. In manchen Fällen muß vielleicht zwischen den einzelnen Farbschichten mit Sandpapier leicht geschmirgelt werden, wenn sich z. B. Staub auf der Oberfläche festgesetzt hat, während die Farbe getrocknet ist. Alle diese zeitraubenden Arbeiten erfordern viel Geduld. Aber die Mühe lohnt sich.

Das Baummuster

Dieses Muster ist zugleich wirkungsvoll und dekorativ, wie auch einfach und naiv und kann freihändig entworfen werden. Das Besondere an dieser Kommode ist, daß sie auf den drei Seiten drei verschiedene Tageszeiten zeigt. Der Baum an sich ist immer der gleiche, auf der linken Seite ist jedoch im Hintergrund ein Sonnenaufgang zu sehen, vorn ein Himmel mit Wölkchen und rechts ein dunkelblauer Nachthimmel mit Sternen. Auf der Ablagefläche sieht man die Baumkrone von oben (vgl. Abb. S. 46/47).

Bevor Sie mit dem eigentlichen Muster beginnen, schleifen und grundieren Sie die Kommode wie oben beschrieben.

Die Umrißlinien: Zuerst wird rund um die Kommode eine Grundlinie in zehn Zentimeter Höhe gezogen. Dann werden die Außenlinien für den Baum – unter Umständen mit Hilfe von Tellern und Schüsseln – auf ein Papier gezeichnet und ausgeschnitten. Dieses Muster wird auf die Seiten der Kommode übertragen. Dabei muß man aufpassen, daß die freie Form in der Mitte steht und nicht nach der einen oder anderen Seite hin umkippt. Vorn hängt man das Muster am besten auf und verschiebt es so lange, bis es innerhalb der äußeren Begrenzungen einen ausgewogenen Platz hat.

Für den Stamm werden in der Mitte der Krone zur Grundlinie hin im Abstand von 7 cm zwei senkrechte Linien gezogen.

Auf der linken Kommodenseite wird mit einem sehr großen Teller oder einer Waschschüssel auf der Grundlinie ein Halbkreis gezogen, von dem die Sonnenstrahlen ausgehen, die man am besten mit einem langen Lineal (oder einem ähnlichen Instrument) zieht. Ein Winkelmesser ist beim Einzeichnen der Strahlen sehr nützlich.

Die Wolken auf der Frontseite können freihändig oder mit Tellern umrissen werden. Passen Sie auf, daß die Übergänge zwischen Schubladen und Rahmen an allen Stellen sauber sind.

Auch die Sterne auf der rechten Seite können freihändig gezeichnet werden, falls sie aber einheitlich groß sein sollen, machen Sie sich am besten zuerst eine Vorlage aus steifem Karton, deren Umrisse Sie dann auf die Kommode übertragen.

Auch für die Aufsicht auf der Abstellfläche der Kommode nimmt man Teller. Wenn man will, kann man hier auch noch ein Vögelchen aufmalen (Abb. S. 46).

Das Malen. Bevor mit den Malerarbeiten begonnen wird, legt man eine dicke Lage Zeitungspapier auf den Boden rund um und unter die Kommode, zieht die Schubladen heraus und stellt sie mit der Vorderseite nach oben in der Reihenfolge, wie sie in der Kommode steckten, auf das Papier. Zuerst wird der Himmel auf der Abstellfläche gemalt. Dann kippt man die Kommode nach hinten um, und nimmt den Himmel auf der Vorderseite in Angriff, wobei die Flächen für die Wolken ausgespart werden. Gleichzeitig wird auch der Himmel auf den Schubladen gemalt.

Die Kommode wird vorsichtig auf die rechte Seite gedreht, damit der Sonnenaufgang auf der linken Seite gemacht werden kann. Hier werden zuerst die gelbe Scheibe und die gelben Strahlen gemalt; um exakte Abschlüsse zu bekommen, klebt man an die äußeren Kanten Tesa-Krepp. Nun muß die bisher aufgetragene Farbe zunächst gut trocknen.

Dann wird die Kommode auf die »Sonnenaufgang«-Seite gekippt und der Abendhimmel angelegt, wobei die Sterne ausgespart werden.

Für einen zweiten Auftrag des Fronthimmels wird sie wieder auf den Rücken gelegt.

Dann wird der Abendhimmel ein zweites Mal überstrichen. Diese Farbe muß trocknen.

Die Sonnenstrahlen kommen wieder an die Reihe, und wenn sie getrocknet sind, entfernt man den Tesa-Krepp, klebt auf die andere Seite der Linien neue Klebstreifen und beginnt mit den orangefarbenen Strahlen.

Das Drehen der Kommode wird fortgesetzt, als nächstes kommen die Wolken, nachdem die Sonnenstrahlen trocken sind, werden die Sterne gemalt.

Nach dem Trocknen wird der Auftrag für Wolken und Sterne wiederholt.

Für die Baumkronen werden zunächst die Umrißlinien auf der Front und auf einem Seitenteil abgedeckt und die Formen ausgemalt. Wenn diese trocken sind, folgt das andere Seitenteil.

Haben die grünen Flächen zwei Farbschichten, kann der Stamm gemalt werden. Dabei muß die restliche Fläche wirklich absolut trocken sein, denn sonst könnte sich beim Abdecken der Stammlinien mit Tesa-Krepp Farbe lösen. Wenn auch die drei Stämme nach mehrmaligem Drehen fertig sind, wird die Kommode wieder in Normallage zurückgebracht und die Abstellfläche fertiggestellt.

Die Dschungelkommode erfordert einen genaueren Entwurf und eine sorgfältigere Bemalung. Das Ergebnis ist dafür auch künstlerischer und kann z. B. in eine Wand einbezogen werden, wie das Bild unten zeigt. Man kann Pflanzen und Fenster berücksichtigen, um die Natur ins Zimmer zu holen oder den Raum optisch größer zu machen.

Das Dschungelmotiv kann sowohl auf eine Kommode, wie auch auf eine Wand übertragen werden. Wird die Wand vollständig bemalt, kann man die Kommode ganz nach Belieben verschieben.

Arbeiten
für die Wohnung

Regale für jeden Zweck

Das Schönste am Selbstschreinern ist wahrscheinlich die Freude, etwas wirklich Nützliches zu machen. Dies wird auch durch kleine Unregelmäßigkeiten oder ein gelegentliches Abrutschen der Säge nicht getrübt, weil dies mit zum »Handgemachten« gehört und dem fertigen Stück gerade die individuelle Note gibt. Zu solchen Ausrutschern kommt es auch nach jahrelanger Praxis und beim Arbeiten mit den besten Spezialmaschinen. So ist beim Schreinern die Fähigkeit Fehler zu vertuschen genauso wichtig, wie einen geraden Sägeschnitt auszuführen. Wozu gibt es sonst Randleisten, die unschöne Stellen zwischen Fußboden und Wand verdecken und Holzpasten zum Ausfüllen von Dellen und Kratzern, wenn der Hammer mal daneben getroffen hat?

Mit anderen Worten: Kleine Pannen sind nicht tragisch, gewöhnlich gibt es eine Möglichkeit, sie zu verdecken. Jeder Anfänger muß Lehrgeld zahlen, denn keiner kann auf Anhieb gerade sägen und den Nagel immer treffen. Mit der Zeit lernt man, welche Fehler vermieden werden können oder wie ein Schaden repariert wird.

Die folgende Arbeit ist nicht schwieriger als der Topfuntersetzer. Die Teile werden nach dem gleichen Grundprinzip zusammengefügt, nur daß hier das »Gitter« einen Rahmen hat, der einfach an die anderen Teile genagelt wird.

Natürlich kann das Regal ganz nach Bedarf größer oder kleiner als beschrieben gearbeitet werden, und es eignet sich genauso gut im Bad wie auch als Gewürzbord in der Küche.

Bei einer Veränderung der Größe ist es ratsam, vor Beginn der Sägearbeit eine maßgetreue Skizze anzufertigen.

Wenn der Topfuntersetzer mehr eine Spielerei war, bei der es nicht so genau darauf ankam, so gehört zu dieser Arbeit schon etwas Ausdauer und Geduld. Im Grunde sind es allerdings nur ein oder zwei Arbeitsgänge, die sich ständig wiederholen. Aber es muß sehr viel gesägt werden. Falls durch ungenaues Sägen die Aussparungen einmal zu groß geraten sein sollten, kann man die Lücken durch schmale, auf die Frontseite genagelte Leisten verdecken. Fehler am Rahmen auszubessern ist schon schwieriger. Das genaue Verarbeiten der Eckverbindungen ist ebenfalls nicht ganz leicht, auch wenn hier die einfachste Methode angewendet wird. Aber dies alles kann man lernen. Wenn nach einigen harten Werkstunden das Gewürzregal fertig ist, sind die Schwierigkeiten schnell vergessen.

Zuerst werden die Längen zugeschnitten. Dazu wird das Holzende rechtwinklig begradigt, indem man mit dem Schreinerwinkel 25 mm vom Ende entfernt eine Linie anzeichnet und das Holz hier absägt. Dann werden die Längen abgemessen, mit Hilfe des Winkels markiert und neben der Linie abgesägt.

Alle gesägten Teile werden mit einem Schleifklotz (um einen Holzklotz gewickeltes Sandpapier) geschmirgelt. Sandpapier braucht man in allen Körnungen, sehr grobes für das rohe Holz bis zu ganz feinem für den

Gewürzbord

Man braucht dazu:
Weichholz 12 mm × 75 mm, 3 m lang, für das Innengestell
Weichholz 12 mm × 100 mm, ca. 2 m lang für den Rahmen
3 Dutzend Stauchkopfnägel, 19 mm
12 mm × 19 mm Weichholzleisten oder Zierleisten, 2 m lang (wahlweise)
Feines Sandpapier

Werkzeuge:
Säge, Stemmeisen 10 mm, Bleistift, Hammer, Stahlbandmaß

Der Umgang mit dem Hammer

Für die Hammergrößen ist das Gewicht des Kopfes maßgebend. Natürlich ist es vorteilhaft, mit jedem Hammer umgehen zu können, es empfiehlt sich aber ein möglichst handlicher. Bei den meisten Werkstücken sind nur leichte Nagelarbeiten erforderlich, d. h. es werden Stauchkopfnägel mit kleinen Köpfen benutzt, die im Holz versenkt werden können, so daß sie unsichtbar sind. Beim Einschlagen eines Nagels werden zunächst, solange der Nagel festgehalten wird, zwei oder drei schwache Schläge mit dem Hammer geführt. Erst wenn die Finger nicht mehr im Weg sind, wird kräftig zugeschlagen. Bei sichtbaren Oberflächen werden Nägel fast bündig abschließend eingetrieben. Es dürfen aber keine Dellen ins Holz geschlagen werden. Zum Versenken wird ein spezieller Versenker benutzt, zur Not reicht auch ein großer Nagel.

1/2: Der Umgang mit dem Hammer (siehe Kasten auf der vorhergehenden Seite).

3/4: Die Teile für das Innengestell und den Rahmen genau zusägen. Im Ganzen sind es zwölf Teile.

5: Die Einschnitte an den Teilen des Innengestells anzeichnen.

6: Eine Papierschablone anfertigen. Sie ist nicht unbedingt erforderlich, erleichtert aber das gleichmäßige Anzeichnen der Einschnitte erheblich.

7/8: Mit der Schablone die Einschnitte einzeichnen.

9/10: Die Einschnitte einsägen und mit dem Stemmeisen ausstechen.

11: Die Teile zusammenfügen.

12/13: Den Rahmen zusammensetzen. Die Nägel genau ansetzen und senkrecht einschlagen.

14: Deckleisten sind ein nicht unbedingt notwendiger Zusatz, man kann sie jedoch aufsetzen, wenn Fugen störend wirken.

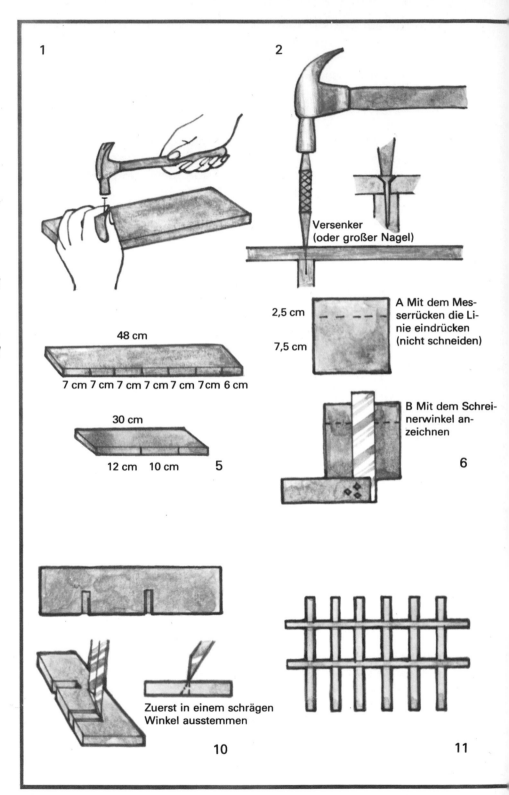

54

3 48 cm

2 Bretter
12 mm × 75 mm
für die Fachböden

4 50,4 cm   30 cm

4 Bretter 12 mm × 100 mm
für den Rahmen:
2 Bretter à 50,4 cm Länge
2 Bretter à 30 cm Länge

6 Bretter
12 mm × 75 mm
für die senkrechten
Unterteilungen   30 cm

C Genaue Dicke
durch Auflegen ei-
ner Brettkante
abmessen

D Von der Falz-
linie aus genau
die Hälfte der
Breite eines Fach-
brettes abmessen.
Mit einem schar-
fen Messer den
eingezeichneten
Teil ausschneiden,
damit die Linien
wie gezeigt 1 cm
über den Falz hin-
aus verlängern.

12 cm

7 30 cm   Genaue Markierung

8 7 cm   Genaue Markierung

12

13

14   Sichtbare Fugen

Deckleiste

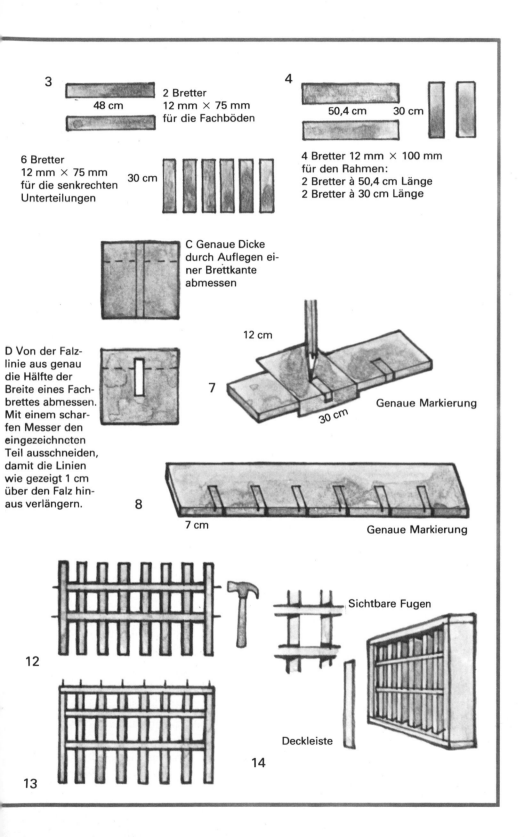

Mit der auf den vorhergehenden Seiten beschriebenen Technik kann jede gewünschte Regalform gebaut werden, wie z. B. dieses an der Wand hängende Gestell für Tonband-Kassetten.

Endschliff. Geschliffen wird immer mit der Maser, da sonst am fertigen Stück Schleifspuren zu sehen sind.

Auf den zwei 12 × 75 mm und 48 cm langen Teilen werden die Ausschnitte wie gezeigt angezeichnet.

Auch auf den sechs 12 × 75 mm und 30 cm langen Teilen werden die Ausschnitte markiert.

Eine Schablone erleichtert das Eintragen der Schnitt-Tiefe bei den einzelnen Ausschnitten erheblich.

Die Schablone wird an die Markierungen gelegt und die Einschnitte mit einem spitzen Bleistift angezeichnet (siehe Abbildung).

Vorsorglich wird nochmals überprüft, ob die Einschnitte wirklich genau bis zur Mitte der Bretter gehen und exakt der Holzdicke entsprechen. Dieses Anzeichnen der Einschnitte wird an allen 30 cm langen und den zwei 48 cm langen Teilen ausgeführt.

Dann werden alle Stücke an der Innenseite der Markierungen eingesägt.

Die Einschnitte werden mit dem Stechbeitel ausgestochen. Dieser wird auf die Abschlußlinien der Einschnitte gesetzt und bei vorsichtigem Eintreiben sollten sich die Holzstücke sauber trennen lassen. Wenn nötig kann die Kante mit dem Beitel noch etwas begradigt werden.

Die Sägeschnitte werden mit Sandpapier geglättet und die Teile zusammengefügt.

Die 10 × 30 cm großen und 12 mm dicken Rahmenteile werden so an den Seiten befestigt, daß sie mit der Rückseite des Innengestells gleichmäßig abschließen. Das Einschlagen der Nägel erfordert einige Sorgfalt, damit diese genau in die Bretter des Innengestells gehen und nicht daneben herauskommen. Pro Innenbrett werden zwei Nägel vorsichtig eingetrieben.

Nun wird eines der 10 cm × 50,4 cm großen Rahmenteile oben auf das Gestell gelegt und an den Ecken auf die Seitenteile genagelt. Das gleiche wird mit dem letzten Teil als Bodenbrett unten wiederholt. Jetzt merkt man auch, ob man exakt gesägt hat. Sollten die Ecken nicht genau zusammenpassen und es stark auffällt, kann man hier mit Furnierstücken ausgleichen.

Das Gewürzbord kann roh belassen, mit Wachspolitur behandelt oder mit Kunstharz-Versiegler gestrichen werden.

Hübsch wirkt eine Beschriftung der einzelnen Fächer mit Etiketten oder Schildern. Falls diese aus Papier sind, werden sie dünn mit einem Versiegler überzogen, damit sie beim Saubermachen geschützt sind.

Gestell für Tonband-Kassetten

Dieses Regal wird nach dem gleichen Prinzip gearbeitet, nur hat dieses Innengestell weniger Zwischenböden. Die Arbeit ist recht einfach, wenn dafür zunächst eine Skizze von allen Einzelteilen mit genauen Maßangaben angefertigt wird. Es kann auch eine Rückwand aus Sperrholz-, Span- oder Hartfaserplatte angebracht werden. Diese kann innen wie außen tapeziert werden. Gegebenenfalls wird die Größe der Innenfächer gleich passend zu Bildern oder Postern geplant. Und dann wird die Rückwand einfach auf das fertige Gestell genagelt.

Die Gestelle lassen sich beliebig vergrößern. Es ist noch nicht einmal schwierig, ein großes Wandregal zu bauen.

Ein Bord kann auf ein schon vorhandenes Regal gestellt, aber auch an die Wand gehängt werden.

Bilderrahmen - ganz perfekt

Wer etwas vom Schreinern versteht, hat den Vorteil, daß er viele, sehr teure Gegenstände selber machen kann. Extra angefertigte Bilderrahmen sind nahezu unerschwinglich, weil sehr viel Handarbeit darin steckt. Dabei ist das Selbermachen relativ einfach und geht auch schnell, und wenn die eigenen Bilder gerahmt sind, finden sich bestimmt Freunde, deren Bilder dringend Rahmen brauchen.

Vorgefertigte Zierleisten für Bilderrahmen gibt es in Fachgeschäften, Hobbyläden usw. in großer Auswahl (Abb. S. 60/61).

Die größte Schwierigkeit bei der ganzen Arbeit besteht eigentlich darin, die sich gegenüberliegenden Rahmenleisten exakt gleich lang zu sägen. Das erfordert Sorgfalt und kostet das meiste Lehrgeld. Deshalb sollte man erst an kurzen Leistenresten üben, bis man das richtige Fingerspitzengefühl für diese feine Arbeit entwickelt hat. Gehrung ist die Bezeichnung für zwei im rechten Winkel zusammengefügte Holzstücke, nachdem sie im Winkel von 45° abgesägt wurden. Es gibt viele Verbindungstechniken, die einfachste ist das Leimen und Nageln, und sie wird bei Bilderrahmen meist auch angewandt. Beim Nageln sollte man sehr sorgfältig arbeiten, weil sich die 45° Flächen der Ecken leicht verschieben. Es ist deshalb besser, sie zuerst zu leimen und – damit sie während des Trocknens nicht verrutschen – mit einer rundherum laufenden Schnur in der richtigen Stellung zu halten, ehe genagelt wird.

Die Art des Rahmens ist Geschmackssache. Für Drucke aus alten Büchern oder alte Landkarten eignen sich aufgrund der Größe möglicherweise am besten schmale, feine Holzleisten. Erste Versuche werden durch vorgefertigte Rahmenleisten erleichtert, die es in so vielen Formen und Farben gibt, daß für jeden Zweck die geeignete zu finden ist.

Für die Größe des Rahmens wird das Bild gemessen. Mit Rahmengröße wird die Abmessung an der Innenkante des Falzes bezeichnet, d. h. es ist die Größe von Glas und Rückwandpappe. Der hier gearbeitete Rahmen mißt 40 × 30 cm.

Ein Ende der Leiste wird wie gezeigt im Winkel von 45° abgesägt, wobei sie mit der Außenkante an die Rückseite der Gehrungslade gedrückt wird. Beim ersten Sägen wird die Säge vorn etwas schräg nach unten gehalten und zum Körper hin gezogen.

Dann wird sie waagrecht genommen und das Endstück mit leichten, nicht zu schnellen Zügen abgesägt.

Werkzeuge und Hilfsmittel

Unbedingt erforderlich für das Anfertigen eines Rahmens ist eine Säge und eine Gehrungslade, oder eine zum Gehrungsschnitt geeignete Arbeitsplatte.
Außerdem gibt es zwei praktische Geräte, die zwar nicht unbedingt notwendig sind, die aber die Arbeit wesentlich erleichtern.

Eine Sägeplatte aus Metall, wie z. B. der Jointmaster, ist eine brauchbare Ergänzung für den Werkzeugkasten. Es ist eine universelle Arbeitsplatte, auf der Gehrungen und jeder beliebige Winkel sauber gesägt werden können.

Gehrungs-Spannklammern, Klemmzwingen und Eck- oder Gehrungswinkel sind nützliche Hilfen beim Zusammenfügen des Rahmens und geben ihm Halt, während der Leim trocknet.

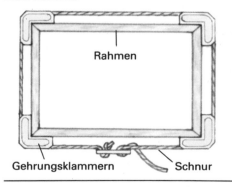

Ein kleines Bild gewinnt häufig durch ein großes Passepartout.

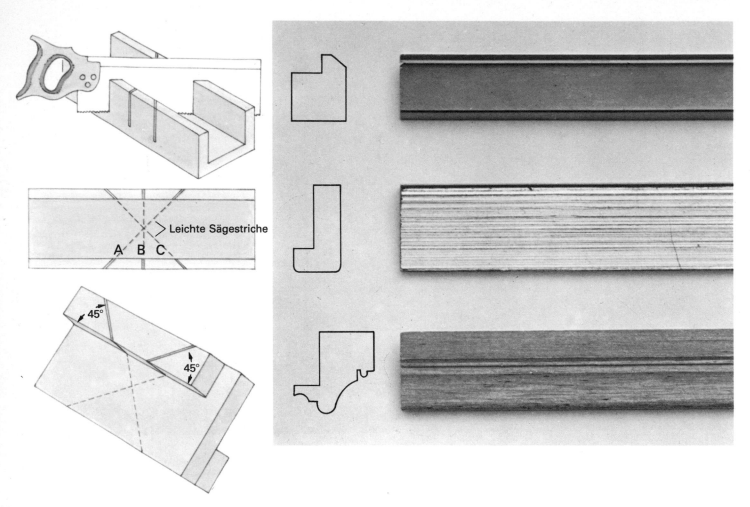

Leichte Sägestriche

A B C

45°

45°

Gehrungslade

Wer mehrere Rahmen anfertigen will, sollte sich unbedingt eine Gehrungslade anschaffen. Sie ist nicht teuer und man bekommt sie in jedem Eisenwarengeschäft. Durch einige schwache Sägestriche in jeder Richtung werden die Sägelinien am Boden der Lade markiert. Sie dienen bei der Arbeit als Führungslinien beim Anlegen des Werkstücks. Auch eine Arbeitsplatte kann als Schneidlade dienen. Dazu werden auf ihr zwei genau 45° große Winkel eingezeichnet und die Hartholzleiste wie oben gezeigt eingesägt. Die Winkel werden entweder mit dem Winkelmesser angezeichnet oder ein 90° Winkel mit Hilfe des Zirkels halbiert. Jedes Teil wird genau wie für die Schneidlade angezeichnet und gesägt.

Nun wird das benötigte Leistenstück wie in den Abbildungen auf den folgenden Seiten abgemessen und die Schnitteile angezeichnet.

Diese Schnittlinie wird in der Gehrungslade nach der Markierung C (S. 60) ausgerichtet und durchgesägt. Ein zweites, gleichlanges Leistenstück arbeitet man genauso. Exaktes Messen ist für das Gelingen der Arbeit entscheidend.

Ebenso ordentlich müssen die zwei 40 cm langen Stücke abgemessen und gesägt werden.

Rauhe Kanten an den Schnittflächen werden mit sehr feinem Sandpapier und Schleifklotz geglättet.

In die Nylonschnur wird ein Laufknoten gemacht, damit sie später fest um den Rahmen gespannt werden kann.

Nun wird der Rahmen geleimt. Dazu gibt man etwas Leim auf jede Schnittkante und verstreicht ihn mit einem Hölzchen dünn. Die vier Rahmenleisten werden zusammengefügt und die Schnur darumgelegt. Während diese angezogen wird, lassen sich die Ecken noch korrigieren.

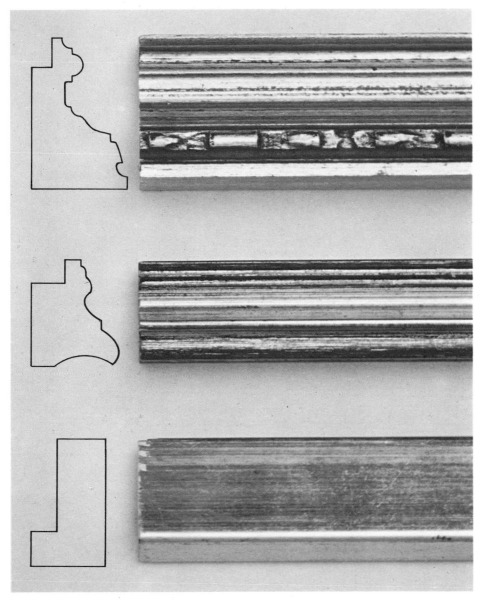

Bilderrahmenleisten gibt es in vielen Formen und Ausführungen in Bastelgeschäften.

Nach dem Trocknen wird die Schnur abgenommen und die Ecken mit den Rahmennägeln (Abb. S. 63) genagelt. Die Leiste, in die ein Nagel eingeschlagen wird, muß gegen einen festen Halt gedrückt werden.
Jetzt erst kann auf der Rückseite die Glasgröße abgemessen und beim Glaser bestellt werden. Spiegelfreies Glas ist teurer, aber am besten geeignet. Die Rückwandpappe (und wenn nötig das Passepartout) wird so zugeschnitten, daß sie in den Falz paßt. Der Rahmen kann gewachst, lackiert oder angemalt werden.

Allgemeine Tips

Man sägt immer an der Außenseite der Schnittanzeichnungen. Gegenüberliegende Seitenteile der Rahmen müssen genau gleich lang sein.
Beim Sägen in der Schneidlade werden die Leisten fest gegen die Rückwand gedrückt. Die Schnittflächen vorsichtig mit Sandpapier glätten, dabei aber Abrunden der Ecken vermeiden. Das feine Sandpapier immer um einen Schleifklotz wickeln.
Den Rahmen erst zusammensetzen und dann die Größe der Glasscheibe abmessen. Feine Fugen an den Ecken werden mit Holzkitt gefüllt.
Die Rückseite mit braunem Papier abdecken und dies mit Papierklebstreifen befestigen, damit kein Staub eindringt.

1/2: Ein herkömmlicher Bilderrahmen und einige Leistenprofile.

3/4: Mit Rahmengröße ist die Größe von Glas und Passepartout gemeint. Zuerst wird jeweils ein Ende der Leisten in der Gehrungslade abgesägt.

5/6: Abmessen und Anzeichnen der Leistenlänge und das Anlegen in der Schneidlade.

7/8: Das Wichtigste ist genau gleiche Länge der sich gegenüberliegenden Rahmenstücke. Beim Schleifen der Sägeflächen muß man darauf achten, daß sich die Winkelgröße nicht verändert.

9/10: Schlingen eines Laufknotens und Spannen des Rahmens mit einer Nylonschnur, während dieser trocknet.

11/12: Zusammennageln des Rahmens nach dem Trocknen des Leims und Abmessen der Glasgröße.

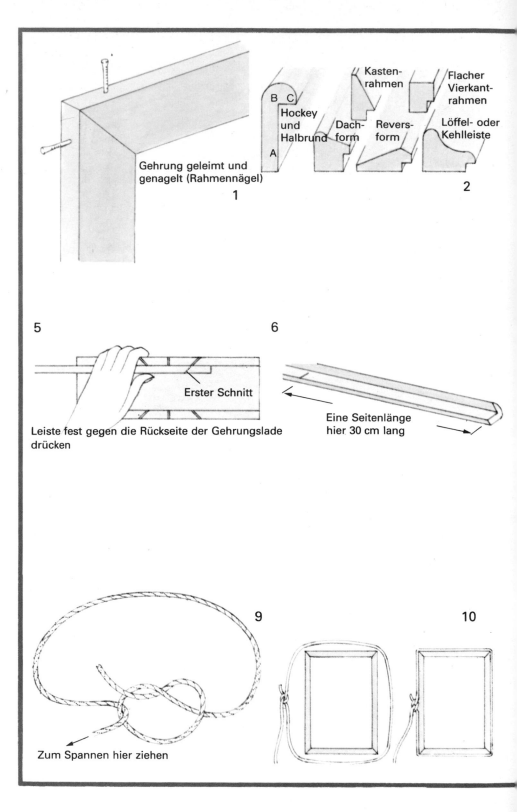

Gehrung geleimt und genagelt (Rahmennägel)

1

B C

Hockey und Halbrund

A

Kastenrahmen

Dachform

Reversform

Flacher Vierkantrahmen

Löffel- oder Kehlleiste

2

5

6

Erster Schnitt

Leiste fest gegen die Rückseite der Gehrungslade drücken

Eine Seitenlänge hier 30 cm lang

9

10

Zum Spannen hier ziehen

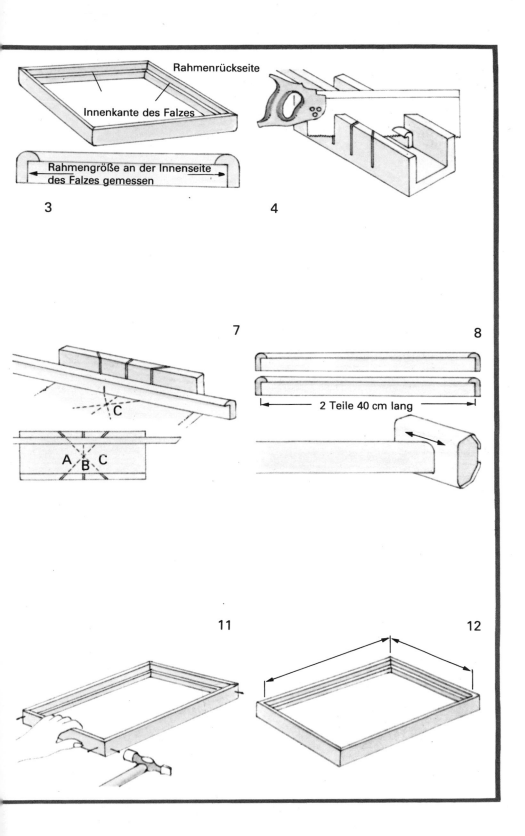

Rahmenrückseite

Innenkante des Falzes

Rahmengröße an der Innenseite
des Falzes gemessen

3

4

7

8

2 Teile 40 cm lang

11

12

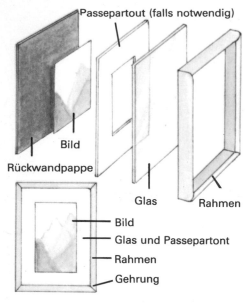

Passepartout (falls notwendig)

Bild

Rückwandpappe

Glas

Rahmen

Bild

Glas und Passepartont

Rahmen

Gehrung

Bilderdraht

Zusammensetzen des Rahmens.
Die Rückseite wird mit Papier
(unter dem Draht) gegen das Ein-
dringen von Staub geschützt.

Das Rahmen

Ein Passepartout wird nur gebraucht, wenn das Bild kleiner als der Rahmen ist. Nachdem das Glas geputzt ist, kann alles wie abgebildet zusammengesetzt werden. Ist das Bild nicht zu dünn oder zu kostbar, wird es mit Gummilösung auf die Rückwandpappe geklebt. Sonst wird es einfach richtig gelegt und festgehalten, bis der Rahmen geschlossen ist. Eine passende, feste Rückwand hält das Bild von allein in seiner Lage. Zum Befestigen der Einlagen werden hinten einige Rahmenstifte seitlich in die Rahmenleisten geschlagen, so daß sie noch 6 mm herausstehen. Zum Schluß muß noch eine Aufhängevorrichtung angebracht werden.

Kisten und Kästen

Hübsche Kästchen sind immer praktisch und in keinem Haushalt gibt es davon zuviel. In kleinen verschwindet Krimskrams, Nähzeug, Küchenutensilien, Bindfaden usw. Mit Griffen werden sie zu kleinen Schubladen für Gewürze. Sie werden gleich so geplant, daß sie in das Gewürzbord passen. Auch Nägel, Schrauben und dergleichen sind darin gut untergebracht. In größeren Kästen verschwinden Decken und Kissen unter dem Bett. Spielzeug hat seinen Platz darin, oder man verwendet sie als Blumenkästen.

Der Bau eines Kastens ist denkbar einfach: Er hat vier Seitenwände, einen Boden und manchmal noch einen Deckel oder eine Klappe. Dieses Grundschema ändert sich nie – ganz gleich, wie groß der Kasten ist. Ein Schmuckkästchen wird im Prinzip genauso gemacht wie eine große Kiste für Spielzeug oder Puppen. Der einzige Unterschied ist die Verarbeitung. Bei einem kleinen Kästchen reicht es, wenn die Ecken einfach zusammengenagelt werden. Große, schwere Kästen werden besser geschraubt oder mit Metallklammern zusammengehalten.

Ein kleines Kästchen mit einem Deckel kann passend für alle nur denkbaren Gegenstände entworfen und individuell nach persönlichem Geschmack, z.B. mit Stoff bezogen und einem passenden Futter ausgeschlagen werden.

Auch die Größe eines Kastens wird den Erfordernissen angepaßt. Vielleicht kann man einige unter das Sofa oder unter die Fensterbank stellen. Höhe und Tiefe sind schnell abgemessen, und dann wird eine genaue Skizze des gewünschten Kastens oder der Kästen gezeichnet. Griffe gibt es in jeder Eisenwarenhandlung.

Besonderen Spaß macht es, Kästen in besonderen Größen für bestimmte Zwecke zu entwerfen z.B. für Bücher oder Schallplatten. Sie lassen sich stapeln, so daß bewegliche Fächer in jeder gewünschten Höhe und Breite zusammengebaut werden können. Sie können aus Sperrholz, Spanplatten oder auch aus Holzresten sein, falls bei anderen Arbeiten ausreichend große Stücke abfallen. Man kann sie passend zu Raum und Inventar lackieren und bearbeiten, oder einfach mit einer der vielen bunten Kunstharzfarben streichen. Beschränkungen in den Verwendungsmöglichkeiten dieser Kisten gibt es praktisch nicht.

Ein kleiner Kasten

Dieser Kasten ist fertig 20 cm × 17 cm groß und 8 cm hoch. Man kann ihn für Schmuck, Kosmetika oder Nähutensilien verwenden und dementsprechend herrichten. Für Schmuck wird er innen mit Filz, Samt oder selbstklebendem Plüsch ausgeschlagen, als Nähkästchen wird er unterteilt. Weil im Holz die Stellen für die Scharniere ausgespart werden, sitzt der Deckel flach auf. Durch eine Einkerbung in der Vorderfront kann man ihn leicht mit einem Finger öffnen. Auf Weichholz werden zwei 20 cm und zwei 15 cm lange Teile angezeichnet, zugesägt und die rauhen Sägeschnitte glattgeschmirgelt.

Bei einem der 20 cm langen Teile wird eine Kerbe (damit der Finger zum Öffnen unter den Deckel geschoben werden kann, wie auf Seite 70 gezeigt) angezeichnet. Dazu legt man das Brett flach auf den Tisch und

Ein kleiner Kasten

Man braucht dazu:

Werkzeuge:
Hammer, Säge, Schraubenzieher, Schreinerwinkel, Bleistift, Lineal oder Stahlbandmaß, Stemmeisen, Nagelversenker, Messer (Zusatzgerät)

Material:
Weichholz, 8 cm × 76 cm, 12 mm dick
Sperrholz, 20 cm × 36 cm, 6 mm dick – Birkenfurnier ist am besten, aber jeder Rest ist geeignet
Senkkopfnägel, 2,5 cm – etwa 24
2 kleine Messing-Scharniere mit 6 mm Schrauben
Mittelfeines und feines Sandpapier
Holzleim

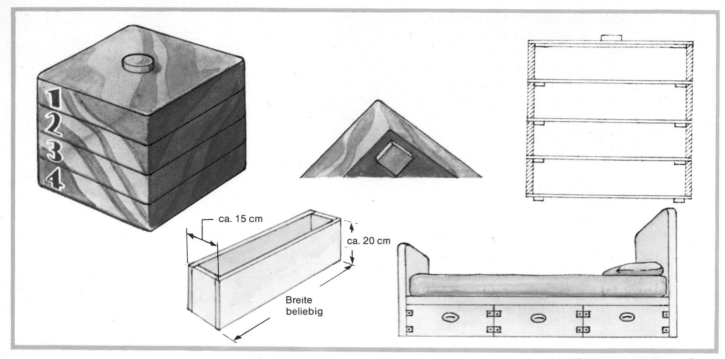

ca. 15 cm

ca. 20 cm

Breite
beliebig

Kästen sind eigentlich Rahmen mit Böden und Deckeln und können in jeder gewünschten Form und Größe hergestellt werden. Stapelkästen haben an den Böden an jeder Ecke einen kleinen Klotz, der genau in die Öffnung des darunterstehenden Kastens paßt. Das Anfertigen von Blumenkästen, Bettkästen und Kästen zum Sitzen ist kein Problem.

schneidet die beiden Seitenlinien mit dem Messer etwas ein. Dann wird das Holz herausgestemmt (s. Abb. S. 70). Wem dies zu schwierig erscheint, der kann diesen Arbeitsgang auch auslassen.

Das Zusammennageln: Eines der 20 cm langen Seitenbretter wird flach auf den Tisch gelegt und die Nägel bis zur halben Holztiefe eingeschlagen. Man streicht etwas Leim auf die Verbindungsfläche von zwei Teilen und nagelt sie wie auf den nächsten Seiten gezeigt mit einem Nagel an jeder Ecke zusammen. Diesen Arbeitsgang wiederholt man bei allen vier Verbindungen.

Boden und Deckel: Der Kasten wird auf die Sperrholzplatte gestellt, so daß deren Kanten mit dem Kasten abschließen und die Größe wie abgebildet angezeichnet und abgesägt. Das gesägte Stück dient als Vorlage für ein zweites, gleichgroßes Brett.

Man schlägt vier Nägel bis zur halben Holztiefe in die Bodenplatte, bestreicht die unteren Kanten des Kastens dünn mit Leim und legt die Bodenplatte auf. Vor dem Einschlagen der Nägel wird nochmals die Lage überprüft. Dann werden noch etwa sechs oder acht weitere Nägel eingeschlagen.

Die Scharniere: Sie werden zuerst am Deckel befestigt. An dem hinteren, 20 cm langen Teil, das gegenüber der Kerbe liegt, werden von beiden Ecken 4 cm abgemessen und eine Markierung zum Anlegen der Scharniere gezeichnet. Die Scharniere werden an die Innenseite dieser Linie gelegt und die Größe markiert.

Mit dem Stechbeitel wird das Holz an diesen Stellen entfernt. Am leichtesten ist das, wenn die drei Umrißlinien mit dem Messer bis zur Tiefe der Scharnierdicke eingeschnitten werden. Dann läßt sich das Holz von der Seite her gut abheben.

Die Scharniere werden aufgelegt, um die Stellen für die Schrauben feststellen zu können. In jeder Markierung wird ein Loch vorgebohrt.

Dann schraubt man die Scharniere mit den kleinen Messingschrauben am Deckel fest.

Der Deckel wird an die Schachtel gehalten (s. Abb. 10) und dort die Stellen der Scharniere angezeichnet. Auch diese Linien werden zuerst eingeschnitten.

Man überprüft am besten zweimal, ob der Deckel beim Einschneiden auch waagrecht gelegen hat. An den beiden Stellen wird das Holz wieder mit dem Stechbeitel entfernt. Die Aussparung ist nur flach, nur halb so tief wie die Scharnierhöhe. Den Deckel mit den Scharnieren in die ausgesparten Stellen setzen und die Schraubenlöcher markieren. Kleine Löcher vorbohren und den Deckel anschrauben.

Der Kasten wird erst mit mittelfeinem, dann mit ganz fein gekörntem Sandpapier geschliffen. Wenn man will, kann man die Ecken noch etwas runden.

Soll der Kasten gestrichen werden, werden die Fugen an den Ecken mit Spachtelmasse gefüllt.

Soll die Naturfarbe des Holzes erhalten bleiben, wird er nur farblos matt versiegelt. Er kann natürlich auch gestrichen und mit einem hübschen Muster bemalt werden.

Andere Verwendungsmöglichkeiten

Stapelkästen können leuchtend bunt bemalt und mit aufgeklebten Buchstaben oder Ziffern gekennzeichnet werden.

25 cm ist eine gute Seitenlänge für würfelförmige Kästen. Jeder Kasten erhält einen Boden.

Auf jedem Boden werden an den Ecken Klötze so angenagelt, daß sie genau in die Öffnung eines darunterstehenden Kästchens passen. Dadurch können die aufeinandergesetzten Teile nicht verrutschen. Nur der obere Kasten bekommt einen Deckel. Er ist aber nicht wie vorher beschrieben mit Scharnieren befestigt, sondern besteht aus zwei zusammengeleimten Sperrholzplatten – einer in der Größe des Bodens und einer, die genau in die Öffnung des Kastens paßt.

Blumenkästen: Das Holz für die Wände sollte mindestens 12 mm dick sein und anstelle von Nägeln werden Schrauben benutzt. In den Boden werden kleine Löcher gebohrt, damit das Wasser abfließen kann.

Bettkästen: Sie können aus einfachem Sperrholz gemacht werden, die Ecken sollte man aber zusätzlich mit Metallwinkeln verstärken. Fertig gekaufte Griffe lassen sich leicht anschrauben.

Kästen als Schubladen: Mit einem Holzklotz oder auch mit gekauften Griffen wird aus jedem Kasten im Handumdrehen eine Schublade.

In einen Rahmen eingefügte Kästen werden zu Schubladen.

1: Die Stücke in der benötigten Länge absägen, rauhe Sägeflächen leicht schmirgeln.

2: Die Einkerbung zum Öffnen ausstemmen.

3: Die Seitenteile zusammenleimen und nageln.

4: Die Teile für den Boden und Deckel abmessen.

5: Die Bretter für Boden und Deckel in den angezeichneten Linien absägen.

6: Den Boden anleimen und annageln.

7/8: Die Ausschnitte für die Scharniere anzeichnen und ausstechen.

9/10: Die Scharniere am Deckel festschrauben und die für sie nötigen Einschnitte am Kasten anzeichnen.

11/12: Nach dem Entfernen den Deckel am Kasten befestigen.

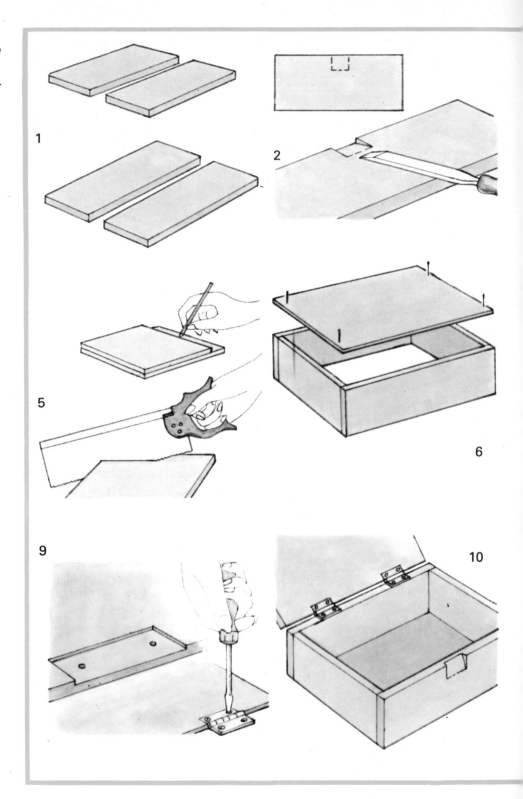

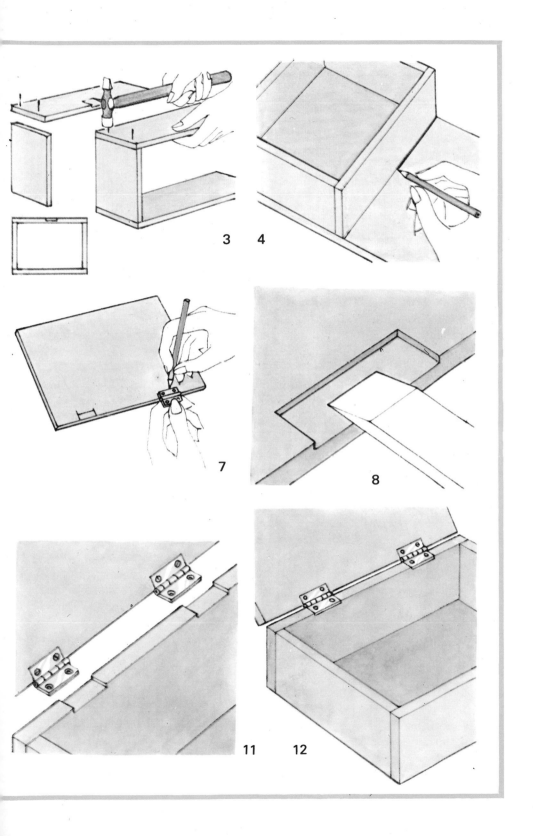

3　4

7

8

11　12

Hübsche Dinge - schnell gemacht

Kerzenhalter aus Holz

Ein Essen bei Kerzenlicht ist sehr romantisch. Wie schöne Kerzen selbst gemacht werden können wissen viele Leute, und nach den folgenden Bastelanleitungen können sie auch die dazu passenden Halter machen. 4 cm vom Ende der Kiefernleiste wird an einer Langseite ein Punkt markiert. Das ist die Spitze des ersten Dreiecks. Von ihr ausgehend teilt man die Leiste in vier gleichseitige Dreiecke mit 8 cm Seitenlänge. Die Dreiecke werden sauber ausgesägt. Alle Spitzen der Dreiecke werden mit der Mitte der jeweils gegenüberliegenden Seiten durch dünne Bleistiftstriche verbunden.

An den Schnittpunkten der Linien werden etwa 3 cm tiefe Löcher gebohrt, deren Größe dem Kerzendurchmesser entspricht. Aber nur drei Teile bekommen ein Loch – das vierte, das Mittelstück, bleibt ganz. Man schleift jedes Teil sauber ab und streicht es anschließend zweimal mit farblosem oder farbigem Kunstharz-Firnis, damit das Holz geschützt ist. Ein Naturmaterial wie Holz ist eine erfrischende Abwechslung zu den üblichen Kerzenhaltern aus Messing oder Kunststoff. Wird er angemalt, sollte er auf vorhandenes Geschirr und auch auf die Farbe der Kerzen abgestimmt werden.

Puzzle

Dieses Puzzle ist ein guter Test für die bisher erworbene Geschicklichkeit im Umgang mit Holz, weil dafür sehr saubere Sägeschnitte Voraussetzung sind. Bei unsauberem Sägen muß zu viel geschmirgelt werden und dann kann es passieren, daß die Teile nicht mehr richtig zusammenpassen.

Zuerst wird die ganze Platte in Maserrichtung mit Sandpapier geschmirgelt.

Dann wird mit Lineal und Bleistift ein abstraktes Puzzle-Muster direkt auf das Holz gezeichnet – am besten macht man zuerst einen Entwurf auf Papier.

Zum Aussägen der Linien wird das Holz am Arbeitstisch festgeklemmt. An den fertigen Teilen werden die rauhen Kanten geschmirgelt und die Oberfläche geglättet.

Zum Schluß wird jedes Stück mit Kunstharz-Firnis gestrichen und an einem staubfreien Platz getrocknet.

Für diesen schlichten Kerzenhalter wird das Muster wie unten gezeigt auf eine einfache Holzleiste gezeichnet.

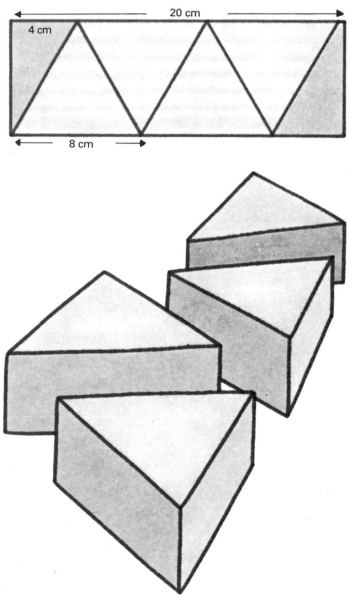

Nähschränkchen

Man braucht dazu:
Zwei gleichgroße Schubladen
Verschieden große Blechdosen, gleich tief
wie die Schubladen oder auch kleiner
Zwei Scharniere oder Klavierband
Starken Klebstoff oder Lackfarbe
Die Schubladen werden innen und außen
gestrichen. Wenn der sichtbare Boden der
vorderen Schublade nicht mehr sehr an-
sehnlich ist, wird er am besten mit Tapete
oder Filz bezogen.

Nähschränkchen

Eine alte Kommode, bei der sich das Aufmöbeln nicht mehr lohnt, muß
nicht unbedingt ganz weggeworfen werden, denn aus den Schubladen
kann noch ein hübsches Hängeschränkchen für allerlei Nähzeug entstehen.

Nach dem Trocknen der Farbe muß man überlegen, ob Fächer eingebaut
werden, und wie die Dosen anzuordnen sind. Zwischenböden liegen auf
passenden Spezialhaltern und die Dosen werden nach Belieben festgeklebt.

Dann werden die beiden Schubladen mit Scharnieren verbunden. Das
Schränkchen bekommt entweder Aufhänger oder wird mit Schrauben direkt an der Wand befestigt. Wie bei den Kästchen kann man auch für
dieses Schränkchen viele Verwendungsmöglichkeiten finden.

Mit der Bügelsäge arbeiten

Im Prinzip können alle Holzarbeiten mit wenigen Grundwerkzeugen ausgeführt werden. Es ist sowieso immer besser, sich auf die wenigen, wirklich unentbehrlichen zu beschränken. Wie überall gibt es aber auch hier eine Ausnahme von der Regel: Viele Sägen können nur für bestimmte Arbeiten verwendet werden.

Für die meisten Arbeiten reicht eine gute Holzsäge aus. Es gibt jedoch Situationen, in denen eine Spezialsäge einfach durch nichts zu ersetzen ist. Für jemanden, der für alles das passende Werkzeug bereit haben will, kann das recht teuer werden. Aber die Anschaffung einer Bügel- oder Laubsäge lohnt sich immer, weil nur damit komplizierte Muster und runde Formen in dünnem Holz (das aber nicht dicker als 12 mm sein darf) gesägt werden können. Dadurch können praktische und preiswerte Dinge hergestellt werden wie Lampen, Handtaschenbügel und Gürtelschnallen, aber auch Puzzles, Mobiles und Weihnachtsschmuck. Es gibt so viele hübsche Sachen, die man mit einer Laubsäge noch aus den kleinsten Abfällen zaubern kann. Und weil so viel mit so wenig Aufwand und so geringen Kosten entsteht, fragt man sich bald, warum man bisher für diese Dinge viel Geld ausgegeben hat.

Mit einer Laubsäge umzugehen, ist wirklich nicht schwer. Das wichtigste ist eine feste Arbeitsfläche. Zu diesem Zweck kann man ein Hilfsbrett mit einem V-Schnitt, mit einer Schraubzwinge am Tisch befestigen (Abb. 1). So eine Schraubzwinge leistet auch beim Zusammenleimen von Teilen gute Dienste.

Die Sägeunterlage muß also stabil und sicher sein, und das Holz muß gut festgehalten werden. Wenn das Sägeblatt während des Sägens heiß wird, muß man eine Weile aussetzen, bis es wieder abgekühlt ist. Da die Blätter leicht brechen, sollten vorsorglich gleich zwei oder drei gekauft werden.

Gürtelschnallen

Aus Holzabfällen gesägte Gürtelschnallen (Abb. 2) eignen sich gut für die ersten Versuche. Diese können in Form und Größe passend zu jedem Gürtel angefertigt werden, zuerst wird aber wie immer eine Skizze mit genauen Maßen gemacht, so, daß die Schnalle der Breite des Gürtels entspricht. Das gezeichnete Muster wird ausgeschnitten, ausprobiert und dann auf das Holz übertragen.

1: Beim Arbeiten mit der Bügelsäge ist eine feste Auflage wichtig.
2: Die Gürtelschnalle. Für derartige Ausschnitte wird das Sägeblatt gelöst, durch ein gebohrtes Loch gesteckt und wieder eingespannt.

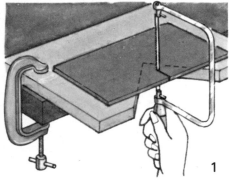

1

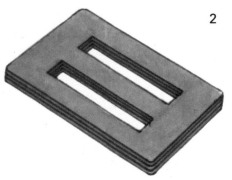

2

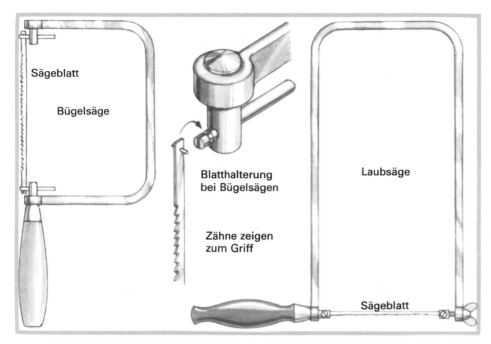

Sägeblatt

Bügelsäge

Blatthalterung
bei Bügelsägen

Zähne zeigen
zum Griff

Laubsäge

Sägeblatt

Bügelsäge und Laubsäge
Mit Bügelsägen und Laubsägen können un-
regelmäßige Schnitte und Ausschnitte gesägt werden. Sie haben ca. 15 cm lange,
auswechselbare Sägeblätter und arbeiten
nach dem gleichen Prinzip.
Der Unterschied besteht in den verschieden
weiten Bügeln. Bei der Bügelsäge ist der
Abstand zwischen Bogen und Sägeblatt ge-
ringer, entsprechend ist auch die mögliche
Schnitt-Tiefe nicht sehr groß. Trotzdem
reicht die Bügelsäge für die meisten Arbeiten aus.
Die Laubsäge ist ein Spezialwerkzeug. Sie
hat einen langen Bogen, so daß ein tiefes
Einsägen in das Holz möglich ist. Das Einsetzen des Sägeblattes ist bei beiden Typen
leicht. Das Blatt wird zuerst in den Schlitz
der oberen Halterung und dann in die Halterung über dem Griff eingehängt. Durch Drehen des Griffes wird das Blatt gespannt.
Wird die Halterung gedreht, so verändert
sich die Blattstellung. Gesägt wird mit dem
Abwärtszug und das Sägeblatt muß dabei
senkrecht stehen.

Das Aussägen der Innenteile ist Schritt für Schritt in den Abbildungen
dargestellt. Eine Gürtelschnalle ist schnell gemacht, und da es sich nur
um Übungen handelt, können auch ruhig einmal Fehler unterlaufen, die
dann bei späteren Arbeiten vermieden werden. Etwa 6 mm dickes Holz
eignet sich für diese Arbeiten, das Mittelstück sollte ebenfalls nicht dünner als 6 mm sein.

Handtaschenbügel

Diese Handtaschenbügel sind aus 4 mm dickem Sperrholz gearbeitet. Die
Endbehandlung richtet sich in erster Linie nach dem Material der Tasche.
Gediegen wirkt etwa ein Sperrholz mit Mahagoni-Furnier, das mit farblo-
sem Kunstharz-Firnis gestrichen ist, damit es haltbar wird. Alle anderen
Sperrhölzer eignen sich aber genauso, wenn keines mit Mahagoni-Furnier zu bekommen ist, zumal sie mit Farbfirnis gestrichen werden
können.
Da die meisten Holz- und Bastelgeschäfte auch kleinere Holzreste verkau-
fen, kosten diese selbstgearbeiteten Taschen nicht viel, während fertig
gekaufte recht teuer sein können.
Die Umrisse der Griffe werden mit dem Zirkel gezeichnet (siehe
Abb. S. 80/81). Notfalls kann man auch eine Tasse, eine Untertasse oder
einen geeigneten Teller nehmen. Selbstverständlich kann der Griff eine
andere Form haben, dies ist nur ein Beispiel von vielen Möglichkeiten.
Das Holz wird in zwei gleichgroße Stücke gesägt.
Der Umriß wird mit einem Bleistift auf beide Stücke gezeichnet. Für den

Handtaschenbügel

Man braucht dazu:

Werkzeuge:
Bügelsäge und Schraubzwinge
Drillbohrer mit 3 mm starkem Bohrer
Lineal, Bleistift
Feines und mittleres Sandpapier

Material:
Für zwei Bügel von 14 × 38 cm Größe:
Sperrholz 4–6 mm dick und 32 × 40 cm
groß

Ausschnitt wird zunächst ein Loch von ca. 6 mm Durchmesser innerhalb des wegfallenden Stückes gebohrt.

Dann löst man das Sägeblatt aus der oberen Halterung, steckt es durch das Loch und spannt es wieder in die Säge.

Das Holzstück wird mit der Schraubzwinge befestigt, vom Loch aus sägt man in Richtung auf die gezeichnete Linie und dann an dieser entlang, bis der Ausschnitt vollständig ausgesägt ist und herausfällt. Es ist nicht ganz leicht, mit einem so feinen Sägeblatt exakt zu sägen, aber Ungleichmäßigkeiten können mit Sandpapier beseitigt werden.

Die Löcher für die Befestigung des Taschenmaterials werden mit einem Nagel oder Vorstecher angekernt, damit die Bohrerspitze beim Bohren nicht wegrutscht.

Die Löcher sind 3 mm groß und werden mit dem Drillbohrer gemacht. Um zu vermeiden, daß das Holz dabei splittert, wird ein Stück Abfallholz mit einer Schraubzwinge darunter befestigt.

Dann wird das Holz auf eine stabile Unterlage gelegt und beim Aussägen der Außenlinien gut festgehalten.

Alle Kanten und Flächen werden zuerst mit mittelfeinem Sandpapier geschliffen, bis alle Unebenheiten beseitigt sind und die Bügel glatt in der Hand liegen.

Dann wird mit feinem Sandpapier nachgeschmirgelt.

Der zweite Bügel wird genauso gearbeitet. Und damit er genau gleich ist, wird der erste als Schablone benutzt.

Statt viele kleine Löcher zu bohren, kann auch ein langer 2 cm breiter Schlitz ausgesägt werden (s. Abb. 10). Die Tasche wird dann etwas anders befestigt, aber schwieriger ist es nicht.

Zum Abschluß wird der Griff zweimal mit Kunstharz-Firnis gestrichen, helles Holz kann mit Beize entsprechend gefärbt werden. Zur Befestigung der Bügel an der Tasche wird der Stoff etwa 1 cm breit umgeschlagen und durch die Löcher hindurch angenäht.

Wenn statt der Löcher ein Schlitz gesägt wurde, wird der Stoff durch den Schlitz gezogen und von innen unter dem Griff zusammengenäht.

Eigene Formen entwerfen

Jetzt sollte es leicht sein, auch Bügel nach eigenen Entwürfen zu fertigen. Zur Anregung sind auf dem Foto links noch zwei weitere Möglichkeiten gezeigt. Einmal ist es ein einfacher, rechteckiger Bügel, das andere ein etwas komplizierterer, aber dekorativer Griff. Die rechteckigen Bügel sind 23 cm × 10 cm groß, die beiden anderen 15 cm × 33 cm. Die Umrisse werden immer erst auf Papier gezeichnet, ausgeschnitten und dann auf das Holz übertragen.

Mit der Bügelsäge umgehen zu können, bringt wirklich viele Vorteile: Wandschmuck, Spielzeug, Geduldspiele, Gebrauchsgegenstände und vieles mehr kann nun selbst gemacht werden. Der Phantasie sind hier keine Grenzen gesetzt.

1: *Das Sperrholz in zwei gleichgroße Stücke sägen.*
2: *Das Muster auf das Holz
zeichnen.*
3: *Ein Loch in den Ausschnitt bohren, (4) das Sägeblatt durchstecken
und (5) den Ausschnitt aussägen.*
6: *Mit Hammer und Nagel die
Löcher vor dem Bohren ankernen.*
7: *Die Löcher bohren.*
8: *Den Umriß aussägen.*
9/10: *Die Tasche durch die Löcher
hindurch an den Bügeln festnähen,
oder einen langen Einschnitt sägen
und den Stoff durchziehen.*

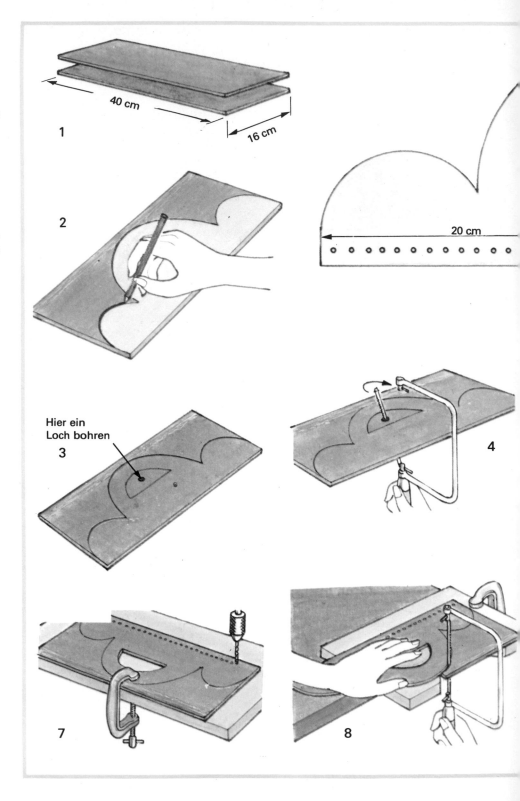

1

40 cm

16 cm

20 cm

2

Hier ein
Loch bohren

3

4

7

8

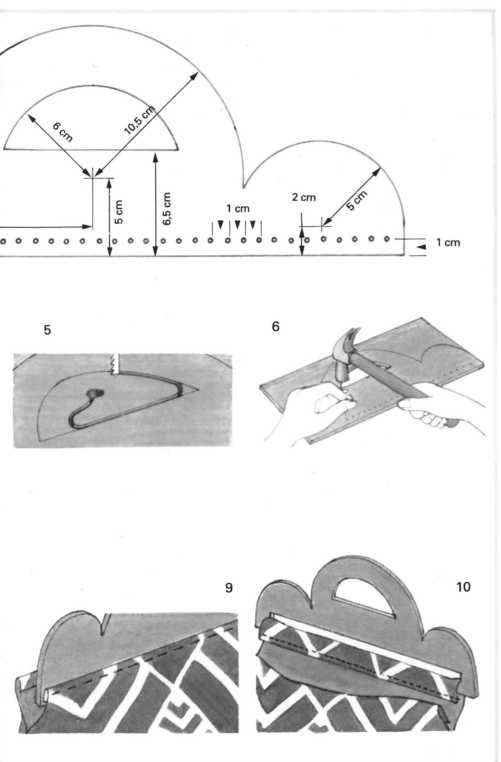

6 cm

10,5 cm

5 cm

6,5 cm

1 cm

2 cm

5 cm

1 cm

5

6

9

10

Das Sägen von schwierigen Rundformen

Apfel-Dekoration

Man braucht dazu:
Eine feine Feile zum Glätten der Kanten
Sperrholz, 4 mm dick, 8,5 cm × 10 cm groß
Schnur, Holzleim, feines Sandpapier
Beize, Farbe oder Kunstharz-Versiegler
Den roten Teil der Figur auf das Sperrholz
übertragen und den Umriß aussägen.
Die grünen Blätter in gleicher Weise aus-
sägen.
Leicht schmirgeln.
Den Apfel rot beizen oder anmalen, die
Blätter werden grün. Die Blätter wie auf
dem Foto an beiden Seiten des Apfels anlei-
men. Ein Schnurende unter jedem Blatt be-
festigen, oder ein kleines Loch für die
Schnur in den Stiel bohren, damit der Apfel
aufgehängt werden kann.
Genauso können natürlich auch andere Formen ausgesägt werden, wie z. B. verschiedene Früchte für ein Mobile, und für die Feste des Jahres Formen wie Weihnachtsbäu-
me, Engel und Sterne.

Die häufigste Entschuldigung dafür, daß Holzarbeiten nicht in der Woh-
nung durchgeführt werden, ist einmal, daß nicht genug Platz vorhanden
ist und zum zweiten, daß es zuviel Schmutz gibt. Das trifft für Arbeiten
mit der Laub- oder Bügelsäge nicht zu, weil dafür weder viel Platz vonnö-
ten ist, noch das Aufräumen lange aufhält. Gerade diese Sägen sind für
enge Raumverhältnisse wie geschaffen, und noch nicht einmal das Aufbewahren schafft Probleme, da sie sehr handlich sind.
Außer den bereits gezeigten Vorschlägen werden jedem noch viele Arbeiten einfallen, für die eine Bügelsäge verwendet werden kann. Für ir-
gendetwas ist jedes Holzstück geeignet, und eine schöne und besonders
interessante Maserung bringt manchmal die noch fehlende Idee. Um den
Umgang mit diesen Sägen zu üben, sind alle Formen geeignet. Bunt angemalt sind es immer hübsche Dekorationen.

Zimmerschmuck und Spielzeug

Holzfiguren sind leicht zu arbeiten, und wenn man sich das Werkzeug
und Material bereitgelegt hat, sind sie in längstens einer Stunde fertig.
Motive aus dem Jahreszyklus werden leuchtend bunt angemalt oder zu
einem Mobile zusammengefügt. Aus Tierformen entsteht ein Zoo für das
Kinderzimmer, und wenn an diese noch ein Holzklotz geleimt wird, können sie sogar stehen.

Ein Holz-Puzzle

Der Apfel kann durch Vergrößern und Teilen zu einem interessanten
Puzzle ausgebaut werden.
Dazu wird die Apfelform auf eine 30 cm × 30 cm große Holzplatte ge-
zeichnet und ausgesägt. Begonnen wird am Stiel, weil hier das kleine
Bohrloch für das Sägeblatt am wenigsten auffällt. Die ausgesägte Apfel-
form wird in beliebig viele Teile zersägt, die mit feinem Sandpapier ge-
schmirgelt und anschließend angemalt (oder gebeizt) werden.
Die entstandene Negativform des Apfels wird auf eine gleichgroße
Sperrholzplatte geleimt. Auf diesen Hintergrund wird das Innere des Ap-
fels, also das Kerngehäuse, gemalt, das erst sichtbar wird, wenn die
Puzzleteile weggenommen worden sind.
Sie können die Form als Ganzes aber auch als Käse- oder Obstbrettchen
verwenden.

Mit der Bügelsäge können Muster und Formen für Puzzles, Weihnachtsbaumschmuck und ähnliche Figuren nach eigenen Entwürfen ausgesägt werden.

Kreative Holzarbeiten

Furniere und Span

Lampenschirm aus Furnieren

Man braucht dazu:
2 Stücke Sperrholz, 6 mm dick und 15 cm
× 15 cm groß.
Furniere, aus denen 6 Streifen 15 cm breit
und 71 cm lang und 6 Streifen 15 cm breit
und 61 cm lang geschnitten werden können, im Ganzen also 1,85 m × 71 cm.
Deckenlampen-Fassung
Bügelsäge
Stahllineal oder gerade Kante, mindestens
1 m lang
Messer, Zirkel, Winkelmesser, Kontaktkleber, Papierbogen 60 cm × 60 cm, Heftzwecken

Da viele Hölzer sehr teuer sind, werden sie zu dünnen Furnieren geschnitten, mit denen billigere Holzarten oder auch Preßspanplatten beschichtet werden, so daß sie wie teures Massivholz wirken.

Auch zum Restaurieren antiker Möbel wird gewöhnlich Furnierholz verwendet, und ein Restaurator läßt häufig besondere Furniere extra
schneiden.

Spanholz ist auch Furnier, aber diese Bezeichnung gilt für ein Abfallpro-
dukt, das beim Zurichten und Schneiden eines Holzes zu einer bestimm-
ten Größe anfällt. Im Unterschied dazu werden Furniere mit einer Spezialsäge hergestellt, mit der ein Stamm nahezu als Ganzes verarbeitet
wird, und das Charakteristische des Holzes, die Maserung, voll zur Geltung kommt.

Die im Handel erhältliche Stärke beträgt 0,5 bis 1 mm, es gibt aber auch
dickere Furniere.

Holzhändler und Heimwerker-Läden führen Furniere, auch Fachgeschäfte
für Künstlerbedarf haben eine begrenzte Auswahl z. B. in Teak, Eiche,
Mahagoni oder Birke. Für jeden Zweck läßt sich aber ein geeignetes Furnier finden. Wenn alle Stricke reißen, gibt vielleicht ein Restaurator Abfallstücke ab. Furnier bricht sehr leicht und muß deshalb sehr vorsichtig
behandelt werden. Furnierstreifen und Spanhölzer sind nicht so empfindlich, und es ist für den Anfänger wohl besser, sich zunächst auf diese zu
beschränken.

Der Lampenschirm

Das Hauptaugenmerk wird beim Einrichten eines Raumes meist auf die
Möbel, Teppiche und Tapeten gerichtet, die Lampen spielen eine unter-
geordnete Rolle. Dabei ist die Beleuchtung eigentlich das Wichtigste bei
jeder Raumgestaltung, denn sie bestimmt die Atmosphäre und Ausstrah-
lung eines Zimmers. So kann starkes, grelles Licht einen Raum kalt erscheinen lassen, während weiches, indirektes Licht gemütlich und wohn-
lich wirkt.

Der Schirm für die abgebildete Hängelampe ist aus Furnierholz gearbeitet. Weil ihr gedämpftes Licht die Augen nicht blendet, kann sie sehr tief
aufgehängt werden. Der Lampenschirm ist einfach zu arbeiten. Er besteht aus zwei runden Scheiben – eine oben, eine unten – und daran
festgeleimten Furnierstreifen. Wenn die Streifen angeklebt werden, ent-

steht die Form ganz von selbst. Statt Holz kann auch hochwertiges Lampenschirmpapier verarbeitet werden, aber Furniere wirken am schönsten.

Furniere leimen. Bei Verwendung von Kontaktkleber wird dieser auf die zusammenzufügenden Flächen gestrichen. Erst nach dem Trocknen werden die Flächen genau aufeinandergelegt und kurz zusammengedrückt.

Durch diagonale Linien von Ecke zu Ecke werden auf beiden Sperrholzteilen die Mittelpunkte angezeichnet und die Kreise mit einem Durchmesser von 15 cm (Radius 7,5 cm) mit dem Zirkel, oder mit Heftzwecke und Bleistift gezogen (siehe Abb.). Auf einer Platte außerdem einen Kreis mit einem Radius von 4,5 cm markieren.

In beide Stücke wird im Mittelpunkt ein 13 mm großes Loch gebohrt, wobei ein altes Stück Holz unterlegt wird, damit das Furnier auf der Rückseite nicht splittert.

Mit der Bügelsäge wird der auf einer Platte eingezeichnete Innenkreis ausgesägt und dann auf beiden Platten die äußere Kreislinie. Eine der zwei so entstandenen Scheiben hat ein 13 mm, die andere ein 9 cm großes Loch in der Mitte.

Auf Furnierholz werden 12 Streifen von 15 cm Breite angezeichnet und mit dem Messer abgetrennt. 6 werden auf 71 cm Länge geschnitten und 6 auf 61 cm Länge.

Der Papierbogen wird in der Mitte zusammengefaltet und darauf ein Halbkreis mit 28 cm Radius gezogen, der – am besten mit einem Winkelmesser – in 30° Winkel geteilt wird (siehe Zeichnung S. 88).

Nach dem Öffnen des Bogens werden die Linien verlängert und auf der Kreislinie von jedem Schnittpunkt aus 7,5 cm nach beiden Seiten abgemessen und angezeichnet (siehe Abb.).

Jetzt wird die Scheibe mit dem 13 mm Loch auf die Mitte des Papiers gelegt, Klebstoff auf jeweils ein Ende der sechs 61 cm langen Streifen

Wer keinen Zirkel zur Hand hat, kann sich auch mit einer Reißzwecke und einer Schnur behelfen.

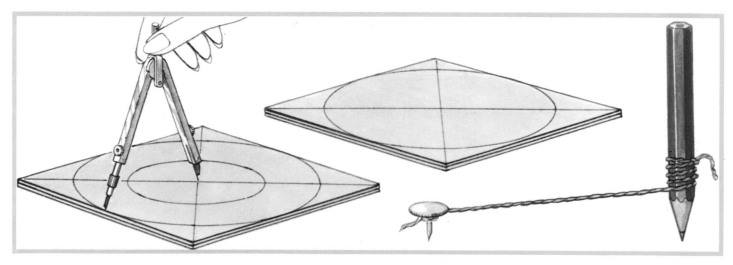

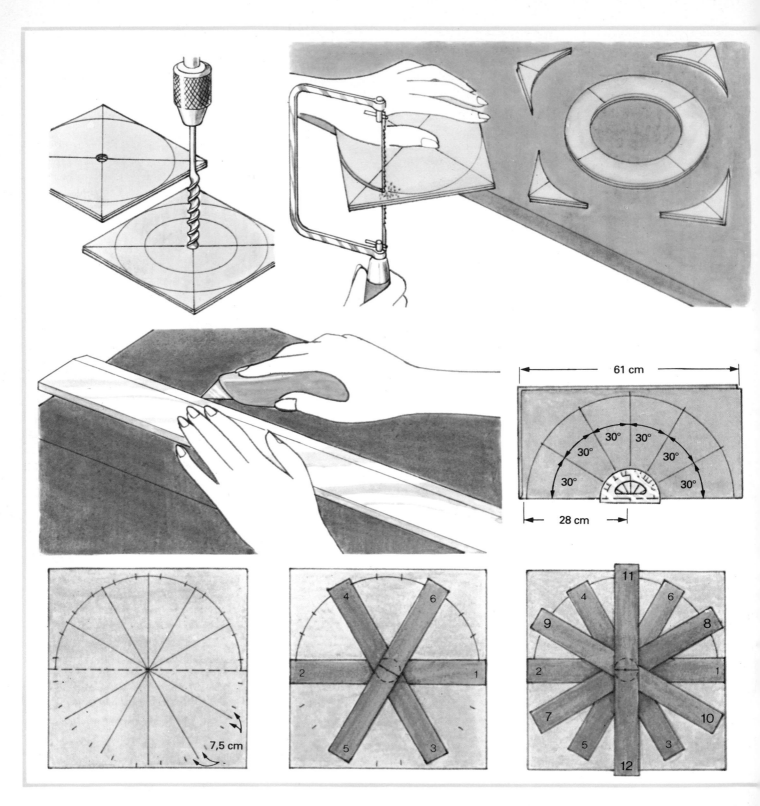

61 cm

30° 30°
30° 30°
30° 30°

28 cm

7,5 cm

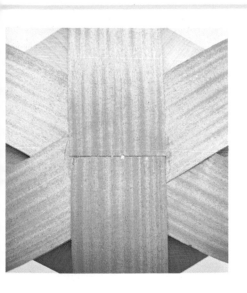

und auf die Scheibe gestrichen und die Streifen auf der Scheibe so angeordnet, daß sie innerhalb der 7,5 cm Markierungen liegen.

In gleicher Weise werden die sechs längeren Streifen angeleimt, so daß abwechselnd lange und kurze Streifen im Kreis angeordnet sind.

Dann wird das Papier entfernt.

Das 13 mm große Loch wird nochmals auch durch die Furnierstreifen gebohrt, die es jetzt verdecken.

Dann werden die losen Enden der Streifen auf die zweite Scheibe geleimt, wobei sie mit Heftzwecken in ihrer Lage gehalten werden. Den Anfang machen die kurzen Streifen, dann folgen die längeren, bei denen auf eine gleichmäßige Biegung zu achten ist. Stücke, die in das obere Loch hineinreichen, werden weggeschnitten.

Andere Verwendungsmöglichkeiten für Furniere

Furniere sind zwar für gewöhnlich auf einen festen Untergrund geleimt, aber Beispiele wie hier der Lampenschirm zeigen, daß auch das Furnier allein brauchbar ist.

Kleine Schachteln entstehen aus gebogenen Furnierstreifen, in die dann Deckel und Böden eingesetzt werden.

Eine sehr schöne Idee ist das »Holzweben«. Damit entstehen ungewöhnliche Wanddekorationen, besonders wenn unterschiedliche Farben in verschiedenen Breiten »verwebt« werden.

Als Spanholz bekannte Furniere werden in Rollen in Hobby-Läden angeboten und zwar in acht Farben und vier Breiten, von 1 cm bis 4,5 cm. Diese Streifen lassen sich mit der Schere schneiden und nach zehnminütigem Wässern gut biegen.

Dadurch können diese Spanholzstreifen zu Paneelen verwebt werden. In Rahmen aus acht Holzleisten gespannt, werden daraus attraktive Schranktüren und Wandschirme.

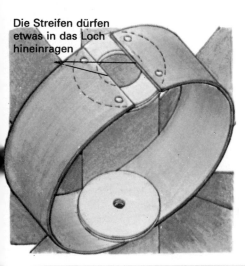

Die Streifen dürfen etwas in das Loch hineinragen

Die Abbildungen auf diesen Seiten ergänzen die im Text enthaltenen Erläuterungen zu dem Lampenschirm aus Furnieren. Wer Angst hat, daß die Furniere beim Biegen brechen, legt sie einige Minuten in Wasser, dann werden sie geschmeidiger.

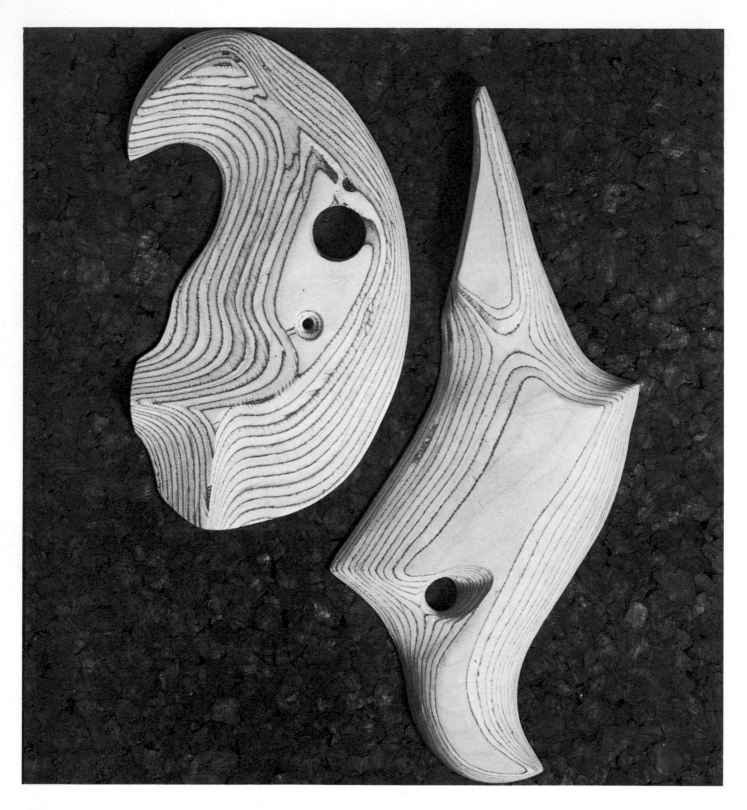

Sperrholz furnieren und formen

Bei unachtsamen Sägen splittert Sperrholz zwar leicht, aber mit etwas Sorgfalt lassen sich die Holz- oder Furnierschichten aus denen es besteht, gestalterisch verwerten. Auch kann jedes Sperrholz und jedes dünne Weichholzbrett durch Aufleimen eines schönen Hartholzfurniers völlig verändert werden.

Furniere sind dünne Holzblätter, etwa so dick wie starkes Kartonpapier. Meistens handelt es sich dabei um Hartholz, das für die Möbelfabrikation auf Preßholzplatten oder billiges Weichholz aufgebracht wird. Auch für Intarsien und zum Restaurieren antiker Möbel werden Furniere gebraucht.

Das übliche weiße und rote Sperrholz besteht gewöhnlich aus recht häßlichen, billigen Furnieren. Es sind die teilweise in das Holz eingedrungene Farbe des Leims und der unterschiedliche Verlauf der Maserungen der im rechten Winkel geschichteten Furniere, die den Querschnitt so interessant machen.

Wunderschön sind dunkle Hartholzfurniere wie Rosenholz oder das gestreifte Zebrano und vom hellen Ahornfurnier gibt es niemals zwei gleiche Stücke. Wenn eine spezielle Holzsorte nicht erhältlich ist, dann findet sich ein Ersatz mit einer interessanten Maserung bestimmt. Außerdem ist zu berücksichtigen, daß durch Politur die Farben intensiver werden und diese auch vom verwendeten Leim abhängig sind.

Sperrholz

Sperrholz besteht aus zusammengeleimten Furnieren. Diese Furniere sind im rechten Winkel geschichtet, also ist immer abwechselnd ein Furnier in Längsrichtung und das nächste quer dazu verleimt. Dadurch ist Sperrholz sehr stabil und dickere Stücke können weder schrumpfen noch splittern. Sperrholz gibt es in verschiedenen Stärken, gängig sind 4, 8, 10 und 12 mm. Anstelle von dickeren Sperrhölzern werden heute meistens Tischlerplatten geführt.

Sperrholz gibt es mit verschiedenen Deckfurnieren, z. B. Kiefer, Birke und Esche (weißes Sperrholz), aber auch mit Hartholzfurnieren, so daß auch große Sichtflächen recht gut dekorativ gestaltet werden können.

Furniere leimen

Im allgemeinen werden einfache Furniere zu Sperrholzplatten verarbeitet, manchmal gibt es aber auch Reste mit interessanten Hartholz-Deck-

So werden die aufeinandergeschichteten Furniere zusammengepreßt, bis der Leim getrocknet ist. Die Plastikfolie muß ganz glatt liegen, damit während des Pressens keine Druckstellen im Deckfurnier entstehen können.

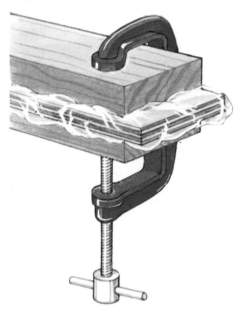

Die Bilder auf diesen beiden Seiten zeigen, wie Sperrholz bearbeitet und geformt wird. So entstehen kleine Schmuckstücke, wie Manschettenknöpfe und Anhänger. Surform-Werkzeuge und andere Feilen sind zum Ausformen besonders geeignet. Nadelfeilen sind sehr fein und mit vielen verschiedenen Profilen erhältlich. Auf der gegenüberliegenden Seite wird gezeigt, daß man auch einen dünnen Furnierstreifen zwischen Massivholzstücke leimen kann. Diese Kombination kann besonders bei Schmuckstücken sehr dekorativ wirken.

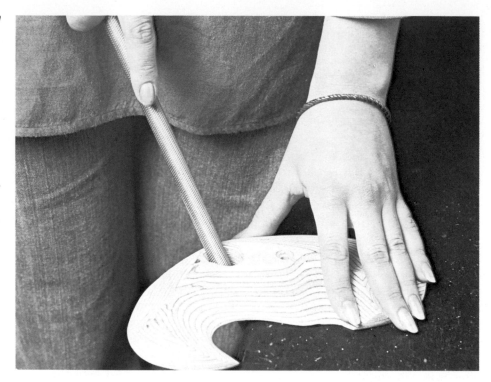

furnieren, wie z. B. Teak. Besonders schönes Furnierholz wird am besten selbst zusammengestellt und verleimt. Dazu werden verschiedene ungewöhnliche Furniere (im Bastelgeschäft) besorgt.

Auf beiden Seiten der Furniere wird eine gleichmäßige Leimschicht aufgetragen, außer auf den Stücken, die später die Außenflächen bilden. Eine ungerade Anzahl dieser geleimten Furniere wird nun immer im rechten Winkel aufeinandergelegt. Sie werden gut zusammengedrückt und in eine Plastikfolie gewickelt.

Die Oberflächen werden durch Bretter geschützt und im Schraubstock oder mit Klemmen gepreßt.

Nach den ersten praktischen Versuchen ist es kein Problem, weitere, spezielle Sperrhölzer in besonders kontrastierenden Farben herzustellen.

Wichtig ist dabei immer die ungerade Zahl der Furnierschichten, und daß diese abwechselnd rechtwinklig liegen. Der Leim wird möglichst gleichmäßig aufgetragen, da sonst die Furniere brechen könnten. Weißleim eignet sich am besten.

Das Formen des Sperrholzes

Wer noch keine Erfahrung im Umgang mit Sperrholz hat, übt am besten erst einmal an einigen vielleicht 12 mm dicken Abfallstücken das Formen mit einem Surform-Werkzeug (Raspel), und versucht bei Ecken eine Stirnholzraspel.

Surform-Werkzeuge braucht man zum Entfernen überflüssiger Holzpartien. Für Biegungen und Konturen gibt es verschiedene Spezialwerkzeuge. Für den Anfang reichen zwei Raspel aus: Die flache Standard-Surform und eine runde Surform. Diese Werkzeuge können für die meisten Vorhaben benutzt werden, für Feinarbeiten sind sie jedoch nicht geeignet.

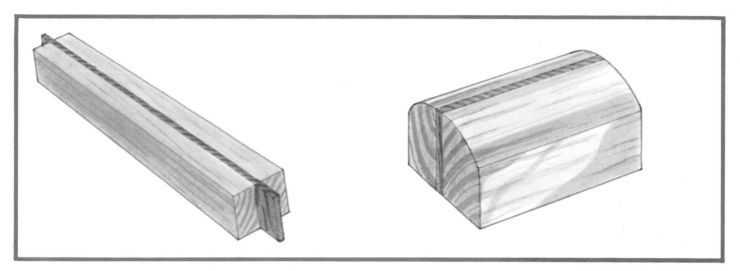

Anschließend werden die Oberflächen mit einer Holzfeile geglättet und vor dem Polieren mit feinem Glaspapier geschmirgelt. Eine gewöhnliche Wachspolitur hebt die Maserung sehr schön hervor, die Oberfläche kann aber auch versiegelt werden.

Besonderen Spaß macht es aber, die neu erlernten Techniken dann auch anzuwenden. Längliche Abfallstücke eignen sich z. B. für Plastiken oder zum Zusammensetzen kleiner Trennschirme. Bei den ersten Versuchen müssen nicht unbedingt bestimmte, erkennbare Formen entstehen. Die sich zufällig ergebenden Muster und Figuren sind meistens schon sehr zufriedenstellend.

Wer ganz von vorn anfangen will, beginnt mit einem höchstens 6 mm dicken Sperrholz.

An diesem werden die Außenkanten an einer Seite schräg weggeraspelt, so, daß die von den verschiedenen Holzschichten gebildeten Linien ein Muster ergeben. Damit die Kanten nicht ausbrechen, wird das Sperrholz während dieser Arbeit mit einer Holz- oder Pappunterlage in den Schraubstock gespannt oder mit Klemmen festgehalten.

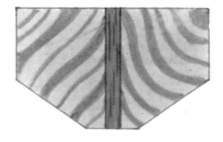

Für den Anfang genügt ein Sperrholzstück, das nicht größer als 6 cm × 5 cm sein muß. Wenn es eine schöne Struktur hat, wird daraus ein dekorativer Anhänger. Gleichzeitig bekommt man aber ein Gefühl für das Material und erprobt die Wirkung der Werkzeuge. Je glatter und sauberer die Oberfläche bei der ersten Bearbeitung wird, desto leichter ist die Endbehandlung mit Glaspapier, das für eine gerade Fläche um einen Holzklotz und für eine Rundung um ein Dübelholz gewickelt wird.

Wenn Sie die ersten Erfahrungen mit den dünnen Furnierschichten gesammelt haben, dann möchten Sie sicher durch gezielte, feine Schnitte bestimmte Muster arbeiten. Hierzu eignen sich Nadelfeilen (wie sie z. B. der Juwelier benutzt). Es gibt sie mit verschiedenen Profilen und mit einem ganzen Satz können die unterschiedlichsten Muster entstehen.

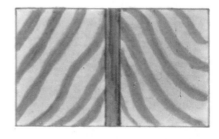

Intarsien:
Ein Schachbrett

Schachbrett

Sie brauchen dazu:
Tischler- oder Sperrholzplatte 38 cm ×
38 cm, 13 mm dick
Furnier:
38 cm × 38 cm (Unterseite)
32 cm × 20 cm (dunkel)
32 cm × 25 cm (hell)
38 cm × 10 cm (für die Randverzierung)
4 Kantenstreifen 38 cm × 0,15 cm
Klebstreifen, Leim oder Kontaktkleber, Glaspapier, Politur, scharfes Messer, langes
Stahllineal, rechter Winkel, Schneidebrett

Die alte Kunst des Holzeinlegens feiert heute ein Comeback. Mit einem Angebot von über hundert Furnieren, die dazu noch mit größter Genauigkeit in gleiche Dicke geschnitten sind, bietet diese Kunstart unerschöpfliche Möglichkeiten des Gestaltens. Die beste Einführung in die Technik ist ein geometrisches Muster wie z. B. ein Schachbrett.

Furniere kaufen. Holzhandlungen führen meistens eine große Auswahl, verkaufen die Furniere aber nur in ganzen Platten, die sehr groß und teuer sind, besonders, wenn es sich um ein wertvolles Holz handelt. Vor einer solchen Ausgabe lohnt sich die Nachfrage bei einem Restaurator, der damit antike Möbel ausbessert und vielleicht einen Rest abgibt. Aber auch Bastelläden führen in einem gewissen Rahmen Furnierholz. Wenn ein spezielles Furnier nicht gefunden wird, ist das auch nicht so schlimm. Wichtig ist allein, daß man zwei Kontrastfarben hat, wie z. B. Mahagoni und Sykamore, Walnuß und Avohire, oder für eine wirklich kostbare Arbeit Walnußwurzel und Satinholz. Alle Furniere eignen sich, solange eines hell und das andere dunkel ist, und beide gleich dick sind.

Schneidebrett. Ein Schneidebrett erscheint zunächst nicht unbedingt erforderlich, aber der geringe Aufwand an Zeit, die man für die Anfertigung braucht, macht sich bald bezahlt. Einen entsprechenden Vorschlag zeigt Abb. 2. Es wurde eine 13 mm dicke Sperrholzplatte (Tischlerplatte) und eine Hartholzleiste genommen. Wichtig sind die verstellbaren Anlegmarken, die für das Schachbrett so eingestellt sind, daß der Zwischenraum zwischen dem daran angelegten Stahllineal und der Hartholzleiste 4 cm beträgt.

Fertigung. Zuerst werden die beiden Furnierstücke in 4 cm breite Streifen geschnitten, die mindestens 32 cm lang sind, besser aber etwas länger, damit sie später gleichmäßig zurechtgeschnitten werden können. Mit dem Schneidebrett kann diese Arbeit schnell und exakt ausgeführt werden. Das Furnier wird an die Hartholzleiste geschoben, das Stahllineal an den Anlegmarken daraufgelegt, dann trennt man das Furnierholz entlang des Lineals durch.

Man macht aber nicht einen einzigen, kräftigen Schnitt, sonst könnte es splittern oder reißen. Besser ist ein mehrmaliges, behutsames Durchziehen der Klinge, die selbstverständlich sehr scharf sein muß. Gebraucht werden vier dunkle und fünf helle Streifen.

Man muß sich im Klaren sein, daß nur bei größter Genauigkeit, sowohl beim Schneiden wie auch beim Zusammensetzen, ein hübsches Schachbrett zustande kommt.
Die neun Furnierstreifen werden wie in Abb. 3 gezeigt in abwechselnder Reihenfolge mit Klebestreifen zusammengefügt. Dabei werden die Strei-

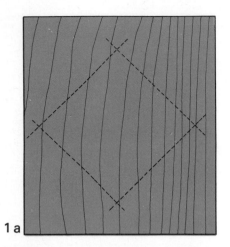

1a

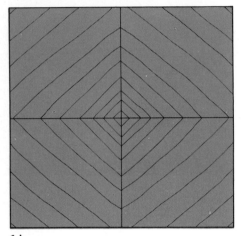

1b

Das einfache, geometrische Schachbrettmuster ist ein guter Einstieg in die Intarsienarbeiten. Heute ist die Furnierstärke genormt, so daß die Verarbeitung und das Einlegen wesentlich erleichtert werden.

1 So wird die Rückseite gestaltet: a Damit ein Rautenmuster entsteht, wird das Furnier in dieser Weise geschnitten. b Die Raute wird aus vier Furnierteilen zusammengesetzt, die aus einem Stück geschnitten sind.

fen in der Schnittfolge und mit dem gleichen Faserverlauf angeordnet. Mit anderen Worten: Kein Streifen darf umgedreht werden und jeder muß so nah wie möglich bei seinem Nachbarn liegen. Dann wird geprüft, ob alle Streifen dicht und fugenfrei miteinander abschließen.

Nun werden diese Streifen auf einer Seite quer zur Maserung rechtwinklig begradigt. Dazu nimmt man Winkel und Stahllineal.

Die begradigte Seite wird gegen die Hartholzleiste geschoben, so daß die Streifen mit dem an den Anlegmarken angelegten Stahllineal einen rechten Winkel bilden.

Vorsichtig werden nun aus dem zusammengesetzten Furnier 4 cm breite Streifen geschnitten, die aus jeweils neun abwechselnd hellen und dunklen Quadraten bestehen. Diese Arbeit muß wirklich sehr sorgfältig gemacht werden, weil die Quadrate nur durch die Klebestreifen zusammengehalten werden. Insgesamt entstehen acht dieser Streifen.

Sie werden ebenfalls in der Schnittfolge belassen, auf dem Schneidebrett aber verschoben, damit ein Schachbrettmuster entsteht.

Auch diese Stücke werden mit Klebstreifen dicht zusammengefügt. Es dürfen keine Fugen zu sehen sein, und die Quadrate müssen mit den Ecken genau aufeinanderstoßen. Acht Quadrate aus hellem Furnier ragen aus dem Muster heraus. Sie werden abgeschnitten und beiseite gelegt.

Das Schachbrettmuster ist jetzt fertig. Bei sauberer Arbeit ist es genau quadratisch, und jedes kleine Quadrat stößt mit den Ecken exakt an die des benachbarten Feldes. Wenn alles stimmt, kann der Rahmen gearbeitet werden und das gesamte Oberflächenfurnier auf die Grundplatte aufgebracht werden.

Der Rahmen. Der Rahmen für dieses Schachbrett kann weitgehend nach eigenen Vorstellungen gestaltet werden. Er kann einfach aus vier glatten Furnierstreifen bestehen, die sich farblich von den Schachbrettquadraten abheben, er kann aber auch mit mehreren eingelegten Streifen oder einem ganzen Intarsienmuster gearbeitet werden.

Im allgemeinen reicht ein einfacher Rahmen von 3 cm Breite aus, wobei ein dunkles Furnier gewöhnlich besser aussieht als ein helles. Durch ein rundumlaufendes, zusätzliches helles Band wird die Wirkung aber noch erhöht.

Der Rahmen des abgebildeten Schachbretts besteht aus vier 38 cm langen, zusammengesetzten Teilen, aus einem 8 mm breiten Streifen dunklen Furniers, einem 8 mm breiten Streifen hellen Furniers und einem breiten Streifen dunklen Furniers. Diese Teile werden mit Klebstreifen fugenlos aneinandergesetzt.

Zur besonderen Gestaltung der Ecken können von den hellen Furnierstreifen am Ende auf beiden Seiten 6 cm abgeschnitten und durch sich farblich abhebende dunkle Furnierstreifen ersetzt werden (Abb. 4). Die zusammengesetzten Rahmenstreifen werden, sich an den Ecken überlappend, mit Klebstreifen am Schachbrettmuster befestigt. Um saubere Gehrungswinkel zu erhalten, werden sie gleichzeitig diagonal durchge-

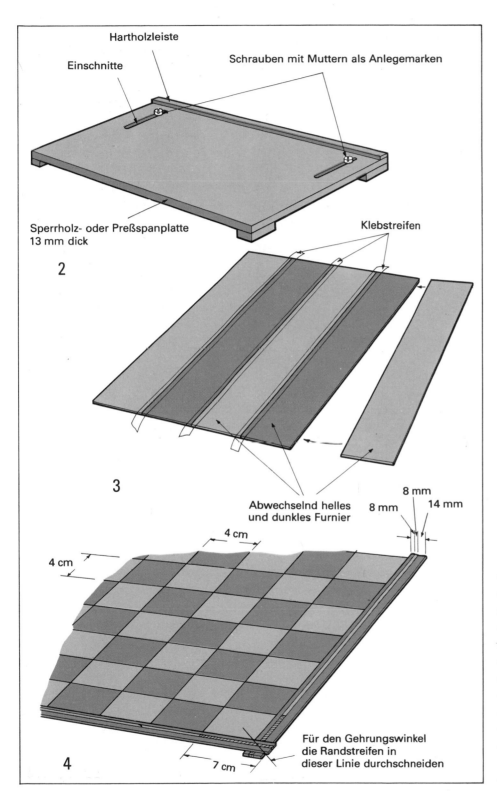

Hartholzleiste

Einschnitte

Schrauben mit Muttern als Anlegemarken

Sperrholz- oder Preßspanplatte
13 mm dick

Klebstreifen

2

3

Abwechselnd helles
und dunkles Furnier

8 mm

8 mm

14 mm

4 cm

4 cm

Für den Gehrungswinkel
die Randstreifen in
dieser Linie durchschneiden

4

7 cm

2 Das Schneidebrett: Verstellbare Anlegemarken sorgen für einen gleichmäßigen Abstand von 4 cm zwischen Stahllineal und Hartholzleiste an der hinteren Kante.
3 Die Streifen werden in der gleichen Reihenfolge, in der sie geschnitten wurden und mit gleichlaufender Faser, zusammengelegt.
4 So werden die Randstreifen zusammengesetzt und angebracht und die Ecken auf Gehrung geschnitten.

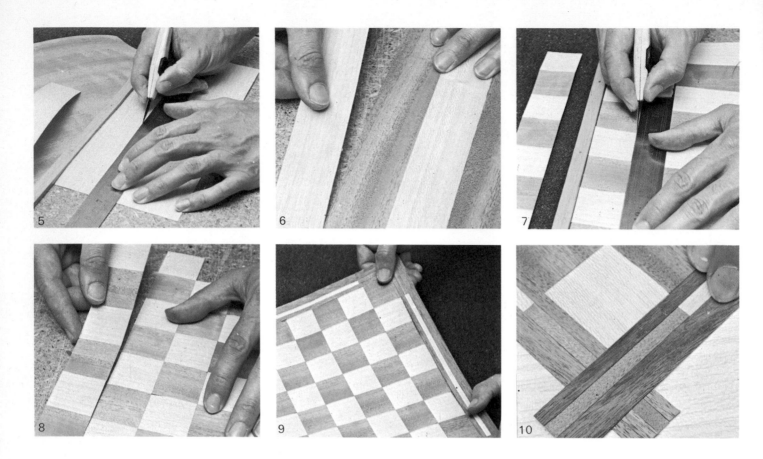

schnitten. Nach dem Entfernen der abgetrennten Stücke werden die Ekken sorgfältig gerichtet und mit Klebstreifen gesichert.

Nun ist das Schachbrettmuster komplett. Ehe es auf die Grundplatte aufgebracht wird, müssen von der Rückseite sorgfältig alle Klebstoff- und Klebstreifenreste entfernt werden, d. h., man muß sich nun entscheiden, welche Seite später oben sein soll, die andere muß gründlich gesäubert werden. Vorsicht beim Abziehen der Klebstreifen, leicht bleibt ein Holzspan daran hängen. Papierklebstreifen gehen unter Umständen angefeuchtet besser ab. Auf jeden Fall müssen aber auf der Oberfläche alle Teile gut befestigt sein, damit sich keines löst. Dann wird die Grundplatte vorbereitet.

Grundplatte. Als Grundplatte eignet sich eine 13 mm dicke, genau quadratische Sperrholz- oder Tischlerplatte. Sie muß auch auf der Rückseite und an den Kanten furniert werden, nicht nur, weil es hübscher aussieht, sondern um auch jedes Verziehen zu verhindern. Man kann dazu ein beliebiges Furnier in passender Größe aufleimen, gekonnter wirken aber zum Schachbrett passende quadratische Furnierstücke. Auf jeden Fall wird aber erst die Rückseite, dann die Kanten und erst zum Schluß die Vorderseite gearbeitet.

Für ein quadratisches oder rautenförmiges Muster auf der Rückseite sind vier, möglichst vom gleichen Stamm gewonnene Furniere notwendig, die etwa 28 cm messen. Daraus werden gleichgroße Stücke, die mindestens 19 cm groß sind mit diagonal verlaufender Maserung geschnitten. Diese Teile werden mit Klebstreifen so zusammengeklebt, daß durch das Zusammenlaufen der Maserung ein Rautenmuster entsteht.

Das Aufziehen. Wer noch keine Erfahrung mit Furnieren hat, arbeitet wahrscheinlich am leichtesten mit Kontaktkleber. Zuerst wird die Rückseite der Grundplatte damit eingestrichen, dann die Furniere. Nach einer Trockenzeit von fünfzehn Minuten wird Stück für Stück sehr vorsichtig und exakt aufgelegt und gleichmäßig angedrückt, wobei man das Entstehen von Luftblasen unbedingt vermeiden muß. Überstehende Ränder werden mit dem Schleifklotz weggeschliffen.

Dann werden vier reichlich bemessene Streifen für die Kanten geschnitten, mit denen man erst zwei sich gegenüberliegende Kanten furniert und deren Ecken sauber abschneidet und dann die beiden anderen Kanten in gleicher Weise arbeitet.

Schließlich wird das Schachbrettmuster auf die Oberseite der Grundplatte geklebt. Es muß wirklich auf Anhieb ganz genau sitzen, denn eine nachträgliche Korrektur ist unmöglich. Man sollte bei dieser Arbeit also möglichst konzentriert sein.

Bevor man schmirgelt und poliert müssen alle Klebstreifen vorsichtig entfernt werden.

Oberflächenbehandlung. Die Oberfläche des Schachbrettes wird mit sehr feinem Glaspapier geschliffen, das man um einen Schleifklotz aus Kork gewickelt hat. Dabei dürfen aber weder die Ecken abgerundet, noch das dünne Papier durchgeschliffen werden. Man bearbeitet die Oberfläche so lange, bis sie völlig glatt und eben ist. Je besser die Oberfläche jetzt behandelt wird, desto leichter läßt sich später die Politur auftragen. Man kann dazu jede Kunstharzpolitur nehmen, solange sie farblos und transparent ist, da sich sonst das helle Furnier verfärben würde.

Eine andere Verwendung für das Schachbrett

Die vorausgegangene Arbeitsanleitung ist zwar für ein normales Schachbrett gedacht, dieses Muster kann aber ebensogut in die Mitte einer Tischplatte eingelegt werden. In diesem Fall kann man es direkt in die Massivholzplatte einlassen, oder aber in einen der Plattengröße entsprechenden Furnierbogen.

Es ist natürlich schöner, wenn aus passenden Furnieren ein zwei- oder mehrteiliges Randmuster um das Schachbrett gearbeitet wird. Nach dem Aufbringen der Furniere auf die Tischplatte wird diese geschliffen und poliert oder mit einer Glasplatte abgedeckt, die mit Hartholzleisten festgehalten wird.

So wird aus einem Tisch ein sehr schönes und dazu praktisches Möbelstück.

5 Zuerst werden die hellen und dunklen Furniere in 4 cm breite Streifen geschnitten, jeder mindestens 32 cm lang. Durch das Schneidbrett wird diese Arbeit wesentlich erleichtert und auch genauer. Das Furnier wird gegen die Hartholzleiste geschoben, das Stahllineal an die Anlegemarken gelegt und die Streifen mit dem Messer abgetrennt.

6 Die Furnierstreifen werden in der gleichen Reihenfolge, in der sie geschnitten wurden, mit Klebstreifen zusammengefügt.

7 Ebenfalls auf dem Schneidebrett werden die aus 4 cm großen Quadraten bestehenden Streifen geschnitten.

8 Auch diese Streifen werden in der Schnittfolge angeordnet und die Quadrate dabei zum Schachbrettmuster verschoben.

9 Die Rahmenstreifen werden zusammengefügt und dann an das quadratisch geschnittene Schachbrettmuster geklebt.

10 Die von Klebstreifen zusammengehaltene Oberfläche wird sehr genau auf die Grundplatte gepaßt und mit Kontaktkleber aufgeklebt.

Geschichtetes Sperrholzrelief

Eine Schweifsäge (Spannsäge mit schmalem Sägeblatt)
Sie wird statt der Bügelsäge zum Aussägen von Formen aus dickeren Platten benutzt. Sie hat zwei Griffe, so daß mit beiden Händen gearbeitet werden kann, wodurch größerer Druck und eine genauere Führung möglich ist. Zwischen den beiden senkrechten Armen ist eine Schnur befestigt. Durch Drehen des Knebels wird sie nach Einsetzen des Sägeblattes gestrafft, so daß dies gespannt wird.
Wenn viel ausgesägt wird, lohnt sich die Anschaffung einer Spannsäge.
Einzelstücke schneidet ein Schreiner sicher gern und auch besser mit seiner elektrischen Bandsäge zu.

Sperrholz ist billiger als Massivholz. Da es aber für das Formen von Plastiken zu dünn ist, muß es in Schichten verleimt werden, damit es die nötige Dicke bekommt. Die sich dadurch ergebenden Linien unterstreichen die Form noch zusätzlich.
Wenn für eine Arbeit ein 15 mm dickes Sperrholz nicht ausreicht, wird ein passendes Holzstück aus mehreren dünnen Holzlagen zusammengeleimt. Die Holzhandlungen und Heimwerkerläden führen in den notwendigen Stärken meistens nur für diese Verarbeitung ungeeignete Tischlerplatten.

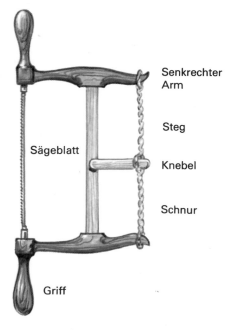

Senkrechter Arm

Steg

Knebel

Schnur

Sägeblatt

Griff

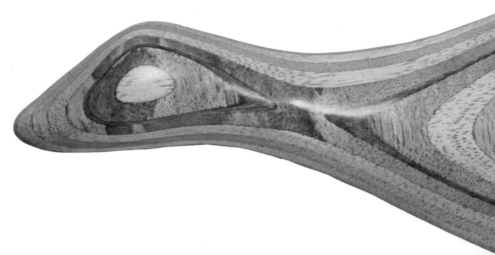

Der Seehund

Der abgebildete Seehund ist als Hochrelief aus geschichtetem Sperrholz gearbeitet. Er ist ca. 34 cm lang. Zum Schichten wird Leim auf die Sperrholzstücke aufgetragen und die beiden Außenflächen durch Bretter vor Beschädigung geschützt, wenn das ganze mit Klemmen zusammengepreßt wird, bis der Leim getrocknet ist.

Der Umriß der Figur wird auf das Schichtholz gepaust und mit einer Schweifsäge (Spannsäge mit feinem Sägeblatt) ausgesägt. Gegebenenfalls macht das auch ein Tischler.

Auf der Schnittkante wird auf der ganzen Länge der Figur eine Linie gezogen, die an den dicken Stellen des Seehundes bis an die Vorderkante verläuft und bei den dünneren Teilen an Schnauze und Schwanz bis auf 6 mm an die Hinterkante herankommt.

Wenn das überflüssige Holz bis zur eingezeichneten Linie weggeraspelt ist, wird rundum im Abstand von 6 mm von der hinteren Kante eine neue Linie gezogen. Dies ist eine Hilfslinie, durch die verhindert werden soll, daß durch zuviel Raspeln der Umriß verändert wird.

Auf der Vorderseite wird eine Mittellinie eingezeichnet. Von hier aus wird nun die Form bis zur eingezeichneten Hilfslinie auf der Sägekante mit der Raspel abgerundet – bei Rundungen mit der runden Raspel.

Danach wird die Oberfläche mit einer Holzfeile geglättet, mit Sandpapier geschliffen und mit Wachs oder Kunstharz-Firnis endbehandelt.

Seehund

Man braucht dazu:
Ausreichend Sperrholz, um eine 3,5 cm dicke und 13 cm × 40 cm große Schichtholzplatte zu fertigen.
Zwei Bretter, etwas größer als das zu schichtende Sperrholz, zwischen die dieses zum Verleimen geklemmt wird.
Holzleim
Pauspapier in Mustergröße, Kohlepapier und Bleistift
Mittleres und feines Sandpapier
Wachs oder Kunstharz-Firnis

Der abgebildete Seehund ist aus geschichtetem Sperrholz.

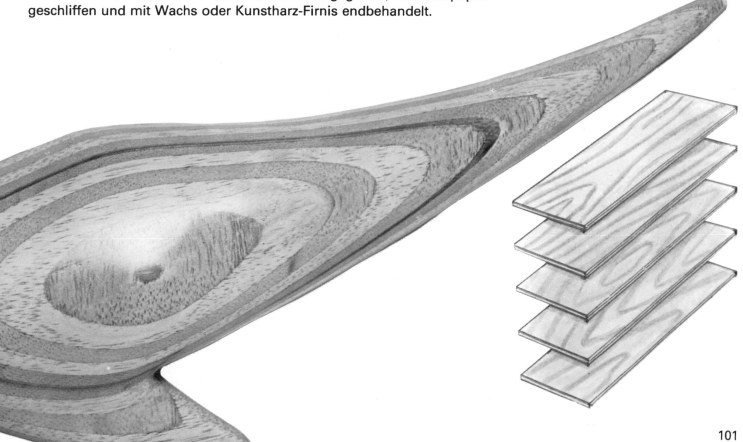

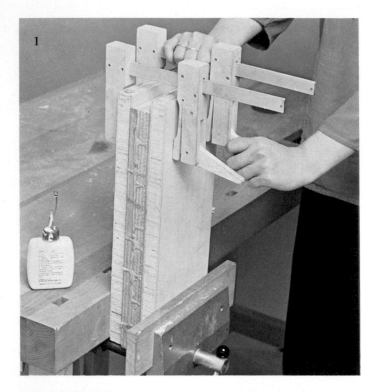

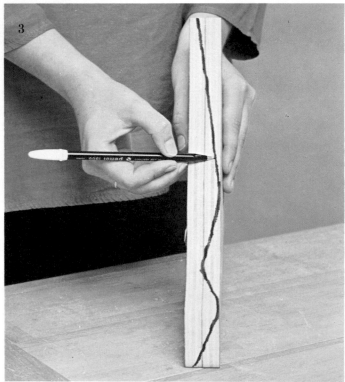

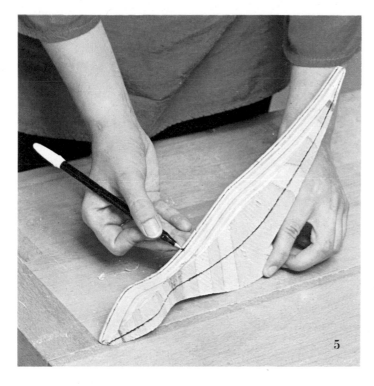

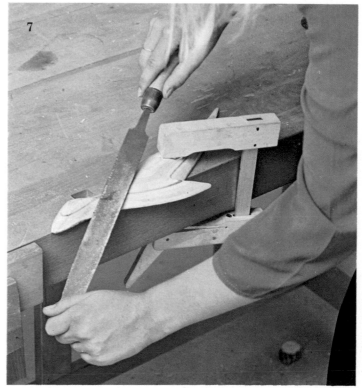

1: Das Sperrholz leimen und zum Trocknen einspannen.

2: Den Umriß aussägen.

3: Die Seitenansicht auf die Schnittkante zeichnen.

4: Das überflüssige Holz auf der Vorderseite wegraspeln.

5: Entlang der hinteren Kante eine Hilfslinie ziehen.

6: Den Körper in Richtung auf die Hilfslinie von der Mittellinie auf der Vorderseite aus abrunden.

7: Mit der Holzfeile glätten.

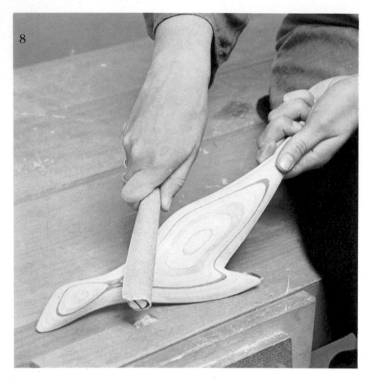

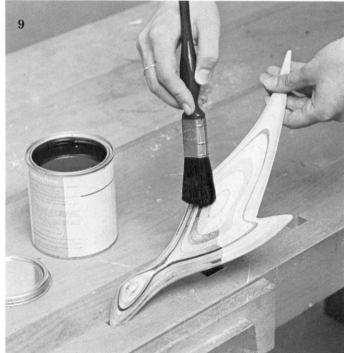

8: Mit Sandpapier glätten.
9: Mit Wachs oder Kunstharz-Firnis polieren.

Die Vollplastik

Bei einer Skulptur geht es nur darum, aus einem aufgezeichneten, dreidimensionalen Umriß Proportionen zu formen. Man muß zunächst eine Vorstellung von ihrem Aussehen – und zwar von allen Seiten – haben. Und da stellt sich die Frage, mit welcher Seite begonnen wird.

Günstig sind Fotos von der geplanten Form, am besten aus allen nur möglichen Blickwinkeln (oder verantwortbaren – z. B. bei einem Flußpferd im Zoo), anhand deren dann die Umrisse studiert werden. Dabei wird sich bald zeigen, daß das Profil, also die Seitenansicht, charakteristisch für eine Form ist, während die anderen nur Ergänzungen bringen.

Als nächstes ist zu entscheiden, wie groß die Plastik werden soll. Dazu werden die verschiedenen Umrisse abgepaust, entsprechend vergrößert und jeweils in ein Rechteck eingepaßt. So werden die Maße des erforderlichen Holzstückes ermittelt wie auch die Partien, die entfernt werden müssen, um aus dem rohen Holzklotz eine Form entstehen zu lassen.

Diese Linien werden auf die Seiten des Holzstückes übertragen. Dabei wird dann immer deutlicher, welche größeren Partien entfernt werden müssen, um der Plastik Gestalt zu verleihen.

Zuerst wird das Seitenprofil ausgesägt. Durch diesen Arbeitsgang fallen die Anzeichnungen der Aufsicht, Vorder- und Rückansicht weg und müssen auf den neu entstandenen Flächen nochmals angezeichnet werden. Außerdem werden Mittellinien auf alle Flächen gezeichnet, von denen nach beiden Seiten gearbeitet wird, damit die beiden Hälften etwa symmetrisch ausfallen. Beim Nilpferd »Nanni«, das auf den folgenden Seiten vorgestellt wird, sind Kopf und Flanken dick und Hals und Hinterbeine dünner.

Das Nilpferd ist durch die Abbildungen und Erläuterungen natürlich verhältnismäßig leicht zu arbeiten. Aber im Prinzip gilt diese Gliederung für jede einfache Form. Erste Versuche sollten sowieso nicht zu kompliziert sein, sondern klare, leicht erkennbare Umrisse und Formen ohne starke Gliederung haben, wie z. B. ein Fisch oder eine Birne. Selbstverständlich können auch eigene, abstrakte Formen entworfen werden, für die moderne Plastiken als Vorbild dienen können.

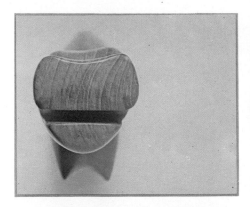

Ehe eine Vollplastik in Angriff genommen wird, muß man ihre Form von allen Seiten genau kennen und nachvollziehen können.

Nilpferd »Nanni«

»Nanni« ist eine gute Anfangsübung für Vollplastiken aus Holz. Diese Figur bietet sich gerade deshalb an, weil sie wenig Details hat und durch die Rundungen unverwechselbar ist. Das fertige Nilpferd ist 25 cm lang, 10 cm hoch und 7,5 cm dick.

Zuerst werden die Umrißlinien von den Seitenansichten und der Aufsicht von S. 108/109 auf das Pauspapier übertragen.

Vom Pauspapier werden diese Umrisse auf das Holz kopiert. Dann werden die Löcher für die Augen mit dem 6 mm, und die für das Maul mit dem größeren Bohrer gebohrt.

Der Seitenumriß wird mit der Spannsäge ausgeschnitten und mit der Raspel nachgearbeitet.

Die Aufsicht muß jetzt erneut aufgezeichnet werden.

Nilpferd

Man braucht dazu:

Ein Stück Massivholz, 100 mm × 125 mm, 28 cm lang

Bohrer mit einem 6 mm und einem größeren Einsatz zum Bohren eines 18 mm großen Loches

Handsäge und Spannsäge

Mittleres und feines Sandpapier, Pauspapier, Kohlepapier und Bleistift, Wachs oder Kunstharz-Firnis

---

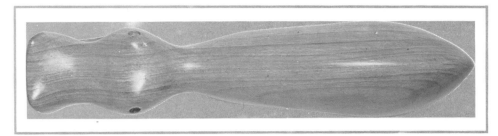

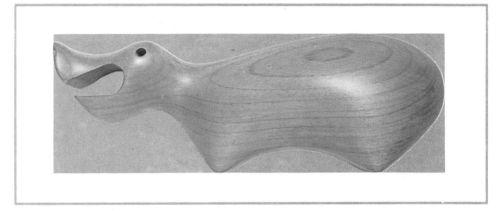

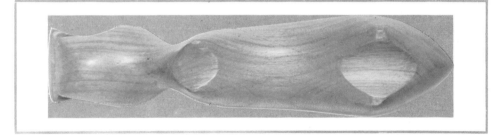

Die nach dieser Zeichnung überflüssigen Holzpartien werden weggeraspelt.

Vom Maulloch aus werden Linien bis zur Außenkante gezogen und das Maul ausgesägt.

Jetzt werden auf den Seitenflächen und vom Kopf zum Schwanz über Rücken und Bauch Mittellinien für das Abrunden angezeichnet. Durch Raspeln wird die ganze Figur abgerundet und mit der Holzfeile geglättet. Dann wird sie mit Sandpapier sehr fein geschliffen.

Zum Schluß wird Nanni mit Wachs oder Kunstharz-Firnis poliert, bis sie rundherum auf Hochglanz gebracht ist.

Das Nilpferd kann als Briefbeschwerer benutzt werden, ist aber auch einfach ein hübsches Dekorationsstück. Mit dieser Technik können jederzeit andere Figuren nach eigenen Entwürfen gearbeitet werden.

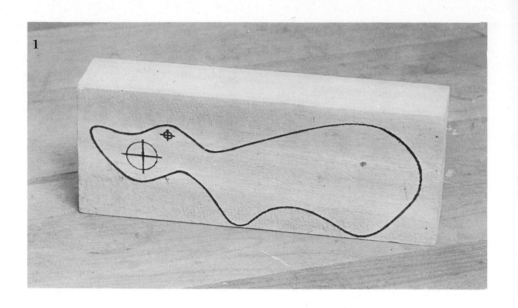

1

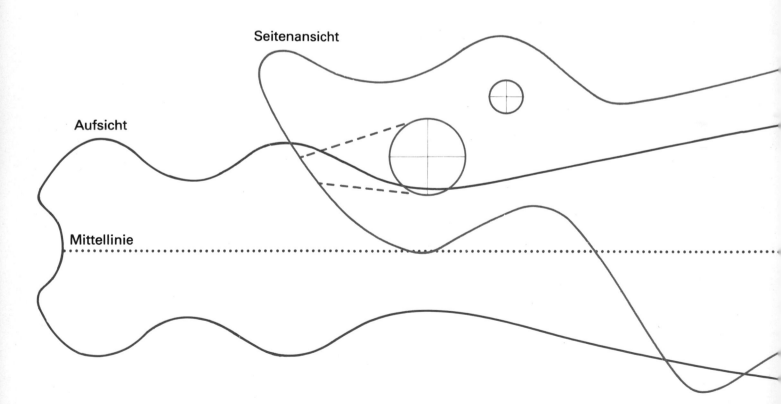

Seitenansicht

Aufsicht

Mittellinie

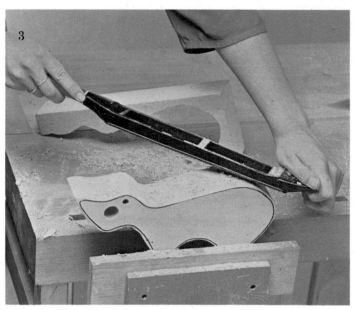

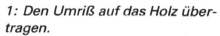

1: Den Umriß auf das Holz übertragen.
2: Die Löcher für Augen und Maul bohren.
3: Die Schnittfläche mit der Raspel begradigen.

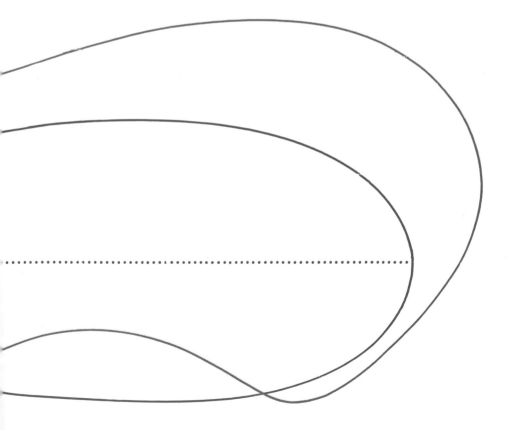

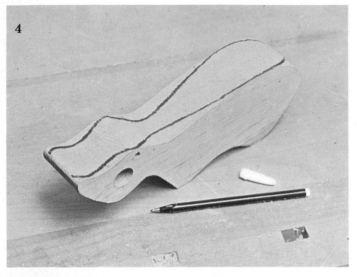

4: Den Umriß der Aufsicht anzeichnen.

5: Das überflüssige Holz wegraspeln.

6: Das Maul aussägen.

7: Die »Rundungslinien« einzeichnen.

8/9: Mit Surform-Raspeln abrunden und mit der Feile glätten.

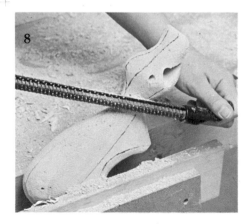

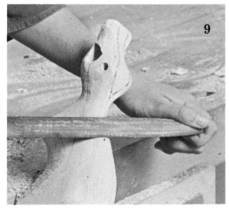

Ein Spielzeugauto

Das Schnitzen von Holzspielzeug macht besonders viel Spaß, und es entstehen dabei mitunter hervorragende Stücke, die direkt ausstellungsreif sind. Das abgebildete Rennauto ist nach der im letzten Kapitel beschriebenen Technik gearbeitet worden. Dieses Auto ist aus Hartholz, es könnte aber auch aus festem Weichholz geschnitzt werden. Es ist ca. 36 cm lang. Die Räder können aus Holz oder Kunststoff sein, sie sind in Hobbyläden erhältlich.

Das Schema auf der nächsten Seite wird auf Pauspapier übertragen, ausgeschnitten und als Schablone benutzt.

Die Profilschablone wird auf das Holz gelegt und der Umriß mit Filzstift umfahren.

Rennwagen

Man braucht dazu:
4 Räder mit ca. 50 mm Durchmesser mit zwei 3 mm dicken Achsen, Befestigungen und Radkappen
Hartholz 75 mm × 100 mm, 38 cm lang
Dübelholz mit 25 mm Durchmesser, 7,5 cm lang
Werkzeuge: siehe vorhergegangene Kapitel

Die Pausvorlagen: Für die Schablone die Umrisse des Rennwagens mit Bleistift auf Pauspapier übertragen.

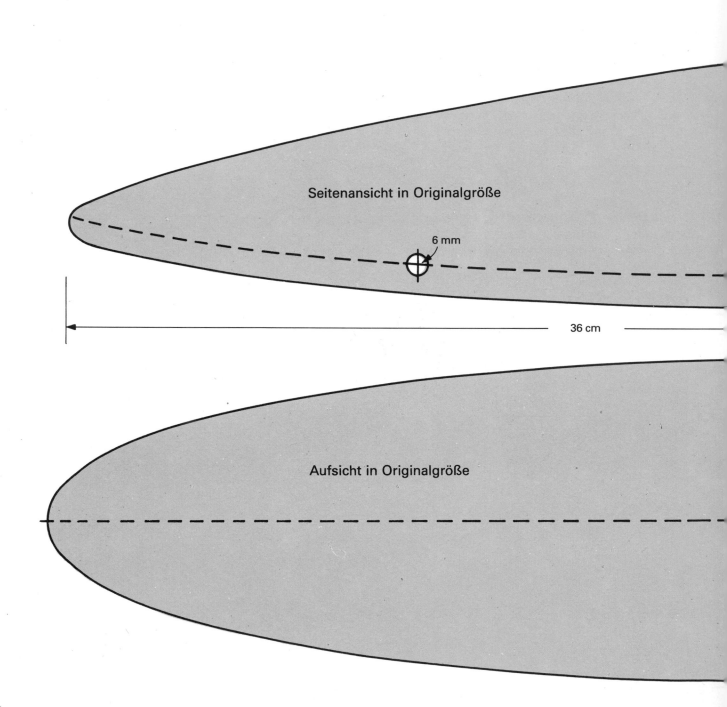

Seitenansicht in Originalgröße

6 mm

36 cm

Aufsicht in Originalgröße

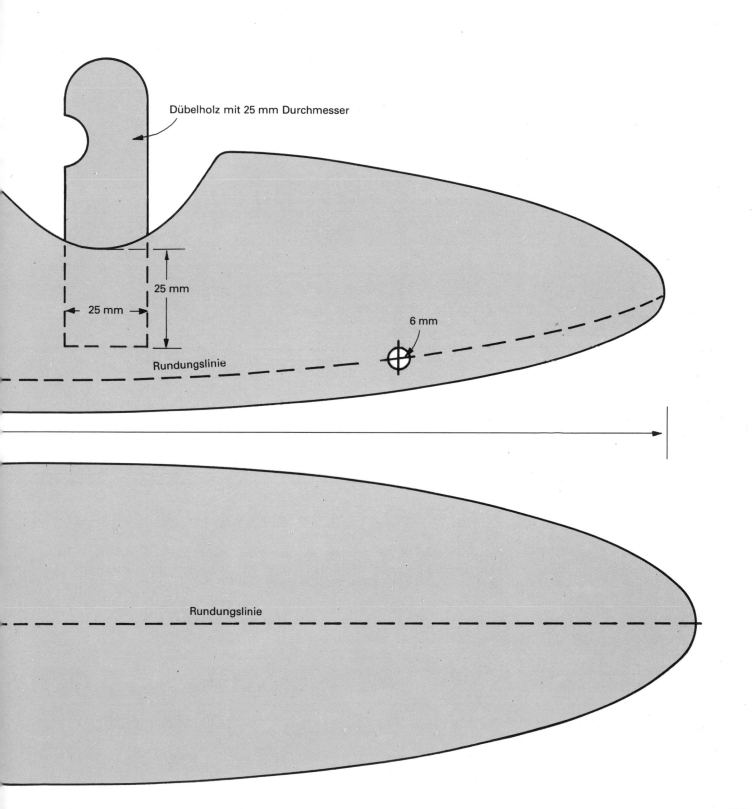

Dübelholz mit 25 mm Durchmesser

25 mm

25 mm

6 mm

Rundungslinie

Rundungslinie

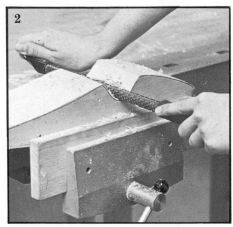

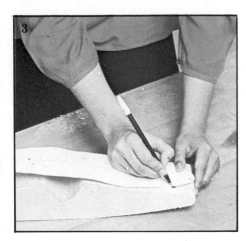

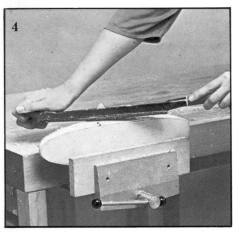

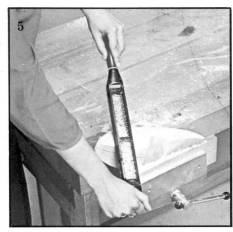

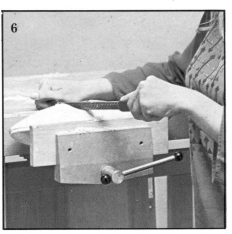

1: Den Umriß der Seitenansicht mit der Schablone auf das Holz übertragen.

2: Aussägen und mit der Raspel nacharbeiten.

3: Mit der Schablone den Umriß der Aufsicht auf Ober- und Unterseite anzeichnen.

4: Mit der Raspel oval formen.

5: Die in der Skizze gestrichelten Rundungslinien auf dem Holz einzeichnen und von ihnen aus die Form abrunden.

6: Das Cockpit mit der runden Raspel formen.

Danach wird die Form mit einer Bügel- oder Spannsäge ausgesägt und mit der Raspel nachgearbeitet.

Anschließend wird der Umriß der Aufsicht mit der Schablone auf das Holz übertragen, sowohl auf die Ober- wie auf die Unterseite.

Mit der flachen Surform-Raspel wird das Holz bis zu der eingezeichneten Aufsichtlinie abgeraspelt, so daß eine längliche ovale Form entsteht. Die in der Skizze gestrichelte Abrundlinie wird auf das Holz übertragen und von dort aus die Form mit der Raspel abgerundet. Vorn wird von unten ein 25 mm großes und 16 mm tiefes Loch gebohrt und frontal in den Kühler ein 6 mm großes, das in dem von unten gebohrten Loch mündet. Als Zugleine wird eine Schnur wie gezeigt durch die Löcher gezogen und befestigt (dies muß selbstverständlich nicht sein).

Ein Ende des Dübelholzes wird abgerundet und das Holz 25 mm unterhalb eingekerbt.

In das Cockpit wird mit dem Bohrer ein 25 mm tiefes Loch gemacht und das Dübelholz eingesetzt.

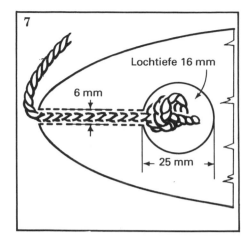

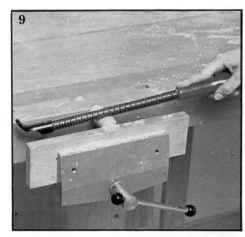

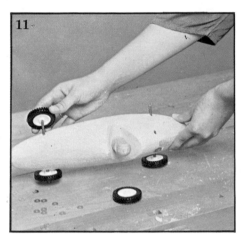

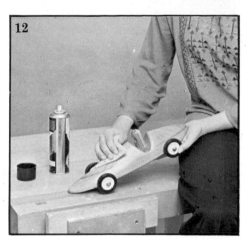

Für die Radachsen werden 6 mm große Löcher durch das Auto gebohrt, die Achsen durchgesteckt, die Räder befestigt und die Radkappen aufgesetzt. Das Ganze wird mit mittelfeinem und feinem Sandpapier geschliffen und mit Wachs oder Kunstharz-Firnis poliert.

Selbstverständlich können auch anderes Spielzeug oder Geschenke nach eigenen Entwürfen mit dieser Technik angefertigt werden. Aus großen Holztieren werden durch Räder Spielzeugtiere zum Ziehen. Auch Holzabfälle sind hier sehr brauchbar, z.B. für eine Eisenbahn, wobei beim Schnitzen die entscheidenden Formen gefunden und ausgearbeitet werden müssen.

Durch die Oberflächenbehandlung kann man bei diesen Spielzeugtieren Einzelheiten durch Farbe hervorheben, z.B. erhält ein Hahn einen roten Kamm. Wichtig ist, daß die Politur auf jeden Fall kein für Kinder schädliches Blei enthält.

Besonders geeignet sind diese Holzarbeiten zum Beispiel auch als Briefbeschwerer oder als Buchstützen.

7/8: Mit der Schnur (die aber nicht sein muß) wird aus dem Auto ein hübsches Ziehspielzeug.
9: Das Dübelholz abrunden und einkerben.
10: Das Loch bohren und das Holz einsetzen.
11: Die Löcher für die Achsen bohren und die Räder befestigen.
12: Mit Sandpapier schleifen und anschließend polieren.

Figuren aus Wurzeln und Ästen

Originelle Holzfiguren entstehen aus natürlichen Holzformen. Ausgangsmaterial sind Wurzeln, Treibholz und Äste. Am ehesten steht wahrscheinlich Holz vom Windbruch, von gefällten Bäumen und dergleichen zur Verfügung.

Im Gegensatz zu dem Material in den vorangegangenen Kapiteln werden diese natürlichen Hölzer nicht geformt. Die Endform für eine Plastik wird vielmehr von der bereits vorhandenen Form bestimmt. Es gibt auch keine festen Regeln, schon deshalb, weil es nie zwei gleiche Ausgangsformen gibt. Jedes Stück Holz muß individuell verwertet werden.

Das ausgewählte Holz wird so lange hin und her gedreht, bis man sich in ihm die Form oder Figur vorstellen kann. Danach werden dann Teile weggeschnitten und entschieden, mit welchem Ende die fertige Plastik befestigt werden soll.

Die Teile, die entfernt werden sollen, werden mit Kreide oder durch Abschälen der Rinde gekennzeichnet und nochmals geprüft, ob die geplanten Schnitte zum gewünschten Ergebnis führen.

Erst dann wird durch Wegschneiden der überflüssigen Teile die gewünschte Form herausgearbeitet und anschließend die Proportionen erneut geprüft. Rinde wird dort, wo es sinnvoll ist, mit dem Messer entfernt. Das geht nicht an allen Stellen gleichgut, aber auch die Rinde kann im Gesamtbild eine Rolle spielen, so daß sie durchaus nicht immer vollständig entfernt werden muß.

An unzugänglichen Stellen wird die Rinde mit einer Raspel abgehoben. Mit diesem Werkzeug können alle störenden Stücke beseitigt und Formen etwas verändert werden.

Auch dieses Naturholz wird erst mit mittelfeinem und dann mit feinem Sandpapier geschliffen.

Zum Schluß wird ein passendes Loch in ein als Ständer geeignetes Holzstück gebohrt und die Plastik darin befestigt, falls notwendig, nimmt man dazu Holzspachtelmasse.

Die Endbehandlung hängt weitgehend vom Holz ab. Es kann poliert werden, oft ist es aber im Naturzustand schöner.

Treibholz, Äste und Wurzeln können aufgrund ihrer natürlichen Formen zu abstrakten wie auch zu gegenständlichen Skulpturen werden.

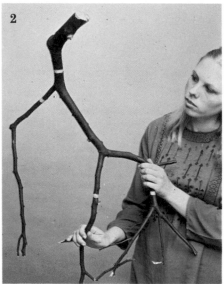

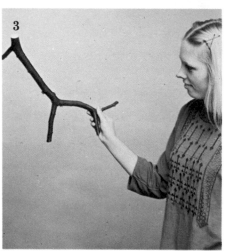

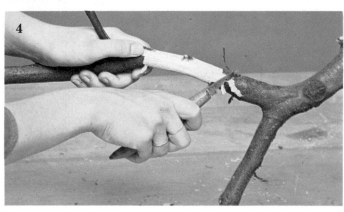

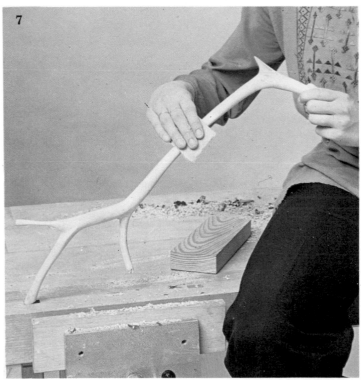

Um die beste Möglichkeit herauszufinden, wird das Holz von allen Seiten betrachtct und entschieden, welche Teile herausgeschnitten werden. Die Rinde kann nach Belieben entfernt oder aber in die Figur mit einbezogen werden. Als Ständer eignet sich jedes passende Holz. Regeln können für diese Arbeit nicht aufgestellt werden, hier hängt alles von Ihrer Fantasie ab.

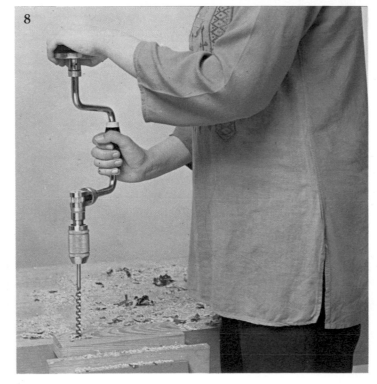

Schichtholzarbeiten

Abfälle aus Weich- und Hartholz können wirkungsvoll zu Spielzeug und Zierat verarbeitet werden. Auch der schon beschriebene Seehund entstand aus Holzabfällen. Sie wurden aber erst verleimt und dann geformt, während bei der hier beschriebenen Methode die Schichten erst geformt und dann verleimt und anschließend geschnitzt werden.

Damit das fertige Stück möglichst dekorativ ausfällt, ist ein ausreichender Vorrat an Hölzern günstig, um daraus die geeigneten Schichten auswählen zu können.

Vielleicht sind Abfälle von früheren Arbeiten vorhanden, die zur Vergrößerung der Auswahl nur ergänzt werden müssen. Die Wahl und Verteilung der Hölzer ist von entscheidender Wichtigkeit, denn davon hängen alle Linien und Farben am fertigen Stück ab. Dabei sind es mehr die Kanten als die Oberflächen der Hölzer – besonders bei Furnierplatten – durch die die Figuren und Formen erst interessant werden. Wichtig sind also Farbe und Dicke der für das Laminat ausgewählten Hölzer.

Alle hier abgebildeten Stücke entstanden aus Schichtholz. Sperrholz kann hier auch mit Abfallstücken kombiniert werden; die sich ergebenden Farben und Muster hängen von der Wahl der verschiedenen Schichten ab.

Die Schnecke

Die Schnecke besteht aus verschiedenen Sperrholz- und Weichholz-Resten. Sie ist 9,5 cm hoch und 19 cm lang.

Konstruktion: Die Umrißlinien (Abb. 1) werden abgepaust und ausgeschnitten.

Der Umriß A wird auf das Weichholz übertragen. Daraus entsteht das Innenteil.

Er wird mit der Bügelsäge ausgeschnitten (das Sägeblatt senkrecht halten).

Dann wird die Umrißlinie B aus der Vorlage ausgeschnitten und auf zwei 4 mm dicke Sperrholzstücke übertragen – eines für jede Seite des Mittelteils. Diese beiden Teile müssen nur in der Dicke, nicht aber in Holz und Farbe übereinstimmen.

Die Umrißlinie C folgt, das Übertragen, Auswählen und Aussägen wiederholt sich, wiederum mit 4 mm dickem Sperrholz.

Umriß D ist die erste Schicht vom Schneckenhaus, und die beiden Teile werden aus 13 mm dickem Sperrholz ausgesägt.

Die beiden Teile für die Schichten E und F bestehen wieder aus 4 mm dickem Sperrholz, wobei sorgfältig die Farben und die Holzqualität ausgewählt werden.

Die zehn Holzteile werden in richtiger Reihenfolge auf das Mittelstück geschichtet, fünf auf jeder Seite. Um zu prüfen, ob sie auch richtig sitzen, werden sie mit einem Gummiband zusammengehalten. Vielleicht müssen einige mit Feile und Sandpapier etwas nachgearbeitet werden, das hängt vom Sägen ab. Nun kann die Form verleimt werden.

Schnecke

Man braucht dazu:
Handbohrer mit 6 mm Einsatz
Weichholz 10 cm × 20 cm, 2 cm dick für das Mittelstück
Zwei flache, rechteckige Holzstücke 10 cm × 20 cm als Preßplatten für das Verleimen
Zwei Sperrholzstücke 13 mm, acht Stücke 4 mm dick = 2 pro Umrißlinie (Abb. 1)
6 mm dickes Dübelholz, 7 cm lang
Abfallholz und Sperrholzreste
Holzleim, mittelfeines und feines Sandpapier, Pauspapier, Bleistift und Schere, Kunstharz-Versiegler

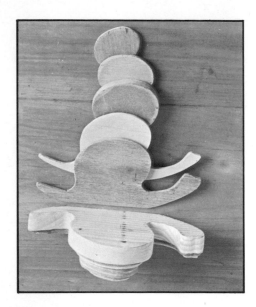

Die einzelnen Teile, aus denen die Schnecke entsteht, sind nur deshalb von unterschiedlicher Größe, damit nicht soviel Holz weggeraspelt werden muß. Diese Form wird aus elf Schichten gebildet.

1

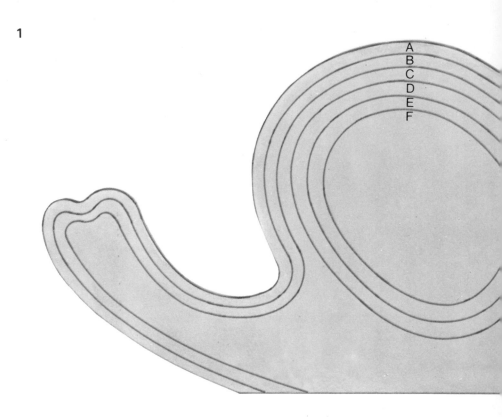

Verleimen: Zum Verleimen werden auf einer Seite die Teile B, C, D, E und F entfernt, so daß Teil A flach aufliegt.

Die verbleibenden Schichten werden abgehoben und mit der nach innen weisenden Seite – also gegen Teil A – nach oben bereitgelegt.

Mit einem Stück Holz oder Pappe wird nun auf die oben liegende Seite von Teil B Leim gestrichen.

Dieses Teil wird auf Teil A gesetzt, und in gleicher Weise folgen nach und nach alle übrigen Schichten. Nun wird der Block vorsichtig umgedreht und die andere Seite ebenso verleimt. Es ist wirklich nur eine sehr dünne Leimschicht erforderlich – bei zuviel Leim rutschen die Schichten unter Umständen weg.

Die »Stufenschnecke« wird zwischen die zwei 10 cm × 20 cm großen Bretter auf die Tischplatte gespannt.

Dabei werden kleine Holzstücke, sogenannte Packstücke, auf beiden Seiten der Form in die Lücken zwischen Kopf und Schwanz der Schnecke und den Brettern geklemmt. Sie übertragen während des Trocknens den Druck auf diese Teile. Die Figur wird so lange gepreßt, wie der Leim laut Gebrauchsanweisung zum Trocknen braucht.

Formen: Jetzt kann die Schnecke geformt werden, damit die Schichten glatt ineinanderübergehen. Während dieser Arbeit muß die Figur eine

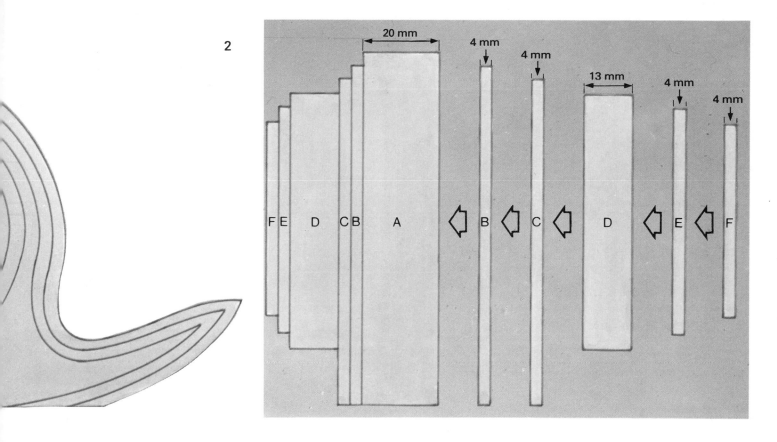

2

20 mm · 4 mm · 4 mm · 13 mm · 4 mm · 4 mm

F E D C B A B C D E F

feste Lage haben. Beim Festklemmen an einer Tischecke ist die Bearbeitung rundum möglich. Es erfordert allerdings etwas Erfindergeist, die Klemmen richtig anzubringen und umzusetzen, damit sie bei der Bearbeitung von Schneckenhaus und Nackenpartie nicht im Wege sind. Selbstverständlich kann die Schnecke zur Bearbeitung auch in einen Schraubstock gespannt werden.

Begonnen wird am dicksten Teil des runden Schneckenhauses von Schicht F in Richtung auf Schicht A mit der flachen Surform-Raspel. Vorsichtig wird Holz abgeraspelt, bis die Kanten abgeflacht sind und die Schichten glatt ineinanderübergehen, wobei immer im Auge behalten werden muß, daß das Schneckenhaus rund ist.

Die Rundungen an Hals und Schwanz werden mit der runden Surform bearbeitet.

Die Schichten B und C werden unten mit der flachen Surform geraspelt, bis sie glatt in das Mittelstück übergehen, aber die Auflagefläche der Schnecke bleibt eben.

Die Kerbe am Kopf, die vom Mittelstück abwärts geht, wird mit dem Rücken einer Holzfeile angebracht.

Endbehandlung: In diesem Stadium hat die Schnecke durch die groben Surform-Raspeln eine rauhe, faserige Oberfläche. Diese wird durch

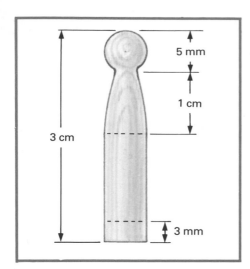

Oben: Zwei Dübelhölzer sind die Fühler der Schnecke; sie werden geformt und in den Löchern festgeleimt.

Unten: So wird das Schichtholz mit der Surform-Raspel bearbeitet.

gleichmäßiges, gründliches Überarbeiten mit einer halbrunden Holzfeile geglättet. Gerade für eine Schnecke ist eine glatte, seidige Oberfläche charakteristisch. So lohnen sich Zeitaufwand und Mühe, um ein optimales Ergebnis zu erzielen.

Zum Schluß wird die ganze Figur noch mit Sandpapier geschmirgelt, erst mit mittelfeinem und dann mit feinem.

Dabei liegt die Schnecke in der hohlen Hand und das Sandpapier wird mit gleichmäßigem Druck über die Oberfläche geführt. Dünne Baumwollhandschuhe sind dabei recht nützlich, da die Hände sonst leicht in Mitleidenschaft gezogen werden.

Einsetzen der Fühler: Damit die Schnecke noch natürlicher wird, erhält sie Fühler.

Dazu werden 3 cm lange Dübelhölzer geschnitten, an denen jeweils 5 mm von einem Ende entfernt eine Bleistiftlinie gezogen wird.

Aus diesen 5 mm langen Enden entstehen die Fühlerknöpfe.

Der darunterliegende Zentimeter wird mit einer halbrunden Nadelfeile konisch zugefeilt.

Schließlich werden die 5 mm langen Enden rundgefeilt.

Mit feinem Sandpapier werden die Fühler geglättet.

Zum Bohren der Löcher für die Fühler werden am Rande des Weichholz-Mittelstücks am Hinterkopf zwei Punkte angezeichnet und mit einem 6 mm Bohrer leicht schräg nach hinten ca. 3 mm tiefe Löcher gebohrt.

Die Fühler werden mit einem Tropfen Leim eingeleimt.

Firnis: Wenn der Leim getrocknet und die Oberfläche der Schnecke völlig glatt geschliffen ist, kann die Figur gefirnißt werden. Dafür eignet sich ein Kunstharz-Firnis.

Nach dem Trocknen des ersten Anstrichs wird – entsprechend den Gebrauchsanweisungen – ein zweiter aufgebracht.

Eine Schüssel aus Schichtholz

Wie die Schnecke besteht auch diese Schüssel aus geformten und verleimten Schichten aus Weichholz und Sperrholz.

Vorlage: Auf einem Bogen Papier wird mit dem Zirkel ein Halbkreis mit dem Radius 7,5 cm geschlagen.

Innerhalb davon wird mit dem gleichen Mittelpunkt ein zweiter Kreis mit dem Radius 5,5 cm gezogen. Dieses Diagramm zeigt den Querschnitt der Schüssel. Der Abstand zwischen den beiden Linien ist die Dicke der Schüsselwand – 2 cm.

In dieses Diagramm wird der Durchmesser XOY – und eine Mittellinie von O zum Bodenpunkt P eingezeichnet.

4 mm über dem Bodenpunkt P verläuft parallel zum Durchmesser die Grundlinie.

Konstruktion: Die Schüssel wird vom oberen Rand nach unten zum Boden aufgebaut. Zuerst wird das Holz für den obersten Ring ausgewählt und die Dicke gemessen. Hier wurde ein 16 mm dickes Sperrholz be-

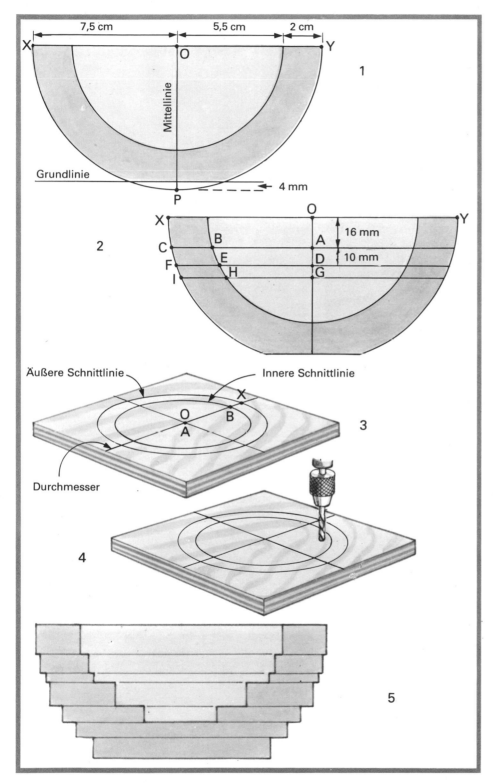

1 7,5 cm 5,5 cm 2 cm

X · O · Y · **1**

Mittellinie

Grundlinie

← 4 mm

P

2

X · O · Y

C · B · A · 16 mm

F · E · D · 10 mm

I · H · G

Äußere Schnittlinie — Innere Schnittlinie

O · B · X

A

Durchmesser · **3**

4

5

Schüssel

Man braucht dazu:
Sieben Sperrholz- und Brettabschnitte
20 cm × 20 cm in verschiedenen Dicken
Eine gebogene Holzfeile und einen Zirkel

1 Mustervorlage für die Schüssel.
2 Markieren der Einzelschichten.
3 Auf den Brettabschnitten müssen innere und äußere Schnittlinien eingezeichnet werden.
4 Zum Aussägen der inneren Teile wird ein Loch gebohrt, durch das man das Sägeblatt stecken kann.
5 Querschnitt der aufeinandergesetzten Holzringe.

nutzt. Im Plan wird eine Linie – ABC – 16 mm unterhalb und parallel zum Durchmesser gezogen.

Mit dem Zirkel wird ein Kreis mit 7,5 cm Radius auf dem 16 mm dicken Sperrholz geschlagen. Dann wird die Strecke A–B in den Zirkel genommen und damit um den gleichen Mittelpunkt ein Kreis auf dem Holz gezogen.

Die Dicke des gewählten Holzes bestimmt den Radius des inneren Kreises auf diesem Holz.

Jetzt wird das nächste Stück Holz ausgewählt, hier ein 10 mm dickes Sperrholz. Auf der Mittellinie O–P werden von Punkt A nach unten 10 mm abgemessen und dadurch die Linie D–E–F parallel zum Durchmesser zum äußeren Kreis gezogen.

Mit dem Abstand von A nach C wird auf dem zweiten Holzstück ein Kreis geschlagen (Abb. 2).

Dann wird die Spanne D–E in den Zirkel genommen und der innere Kreis auf dem zweiten Holzstück gezogen.

In gleicher Weise werden die weiteren Ringe aufgezeichnet. Bei Ring 3 gilt die Abmessung D–F für den äußeren, und die Abmessung G–H für den inneren Kreis auf dem dritten Stück Holz. Die letzte Schicht für den Schüsselboden hat keinen Innenkreis.

Sägen: Die verschiedenen Schichten werden mit der Bügelsäge ausgesägt (eine elektrische Säge erleichtert die Arbeit, ist aber nicht erforderlich). Zum Aussägen der inneren Teile wird erst ein Loch gebohrt und dort das Sägeblatt durchgesteckt (Abb. 4).

Verleimen: Nun werden die Furnierholzringe für die Schüssel in der richtigen Reihenfolge verleimt. Das geschieht in zwei Teilen. Insgesamt gehören zu dieser Schüssel sieben Schichten (Abb. 5). Davon werden die oberen fünf zu einem Teil verleimt und die unteren zu einem zweiten.

Der verleimte, obere Teil wird auf der Tischecke mit einer Klemme befestigt und durch das Loch hindurch innen eben geraspelt. Der Bodenteil wird mit einer gebogenen Feile geglättet und in den Boden mit grobem Sandpapier eine flache Mulde geschmirgelt. Wenn beide Teile innen geformt sind, werden sie zusammengeleimt und zum Trocknen zwischen zwei Holzplatten gespannt.

Formen: Jetzt kann die Außenseite der Schüssel geformt werden. Dazu wird diese mit einer Klemme auf der Tischecke befestigt. Mit einer flachen Surform-Raspel wird von oben nach unten in einer sanften Biegung (ähnlich wie beim Schneckenhaus) die Form geglättet.

Zum Schluß wird die ganze Schüssel mit Sandpapier nachbehandelt und anschließend geölt oder gefirnißt.

Holzschalen schnitzen

Wer die Kunst des Holzschnitzens erlernt, dem eröffnen sich ganz neue Dimensionen bei der Holzgestaltung. Bei den meisten bisherigen Modellen wurde die Form mit der Raspel herausgearbeitet. Nur bei der abstrakten Plastik wurde ein Hohlmeißel benutzt, ein Schnitzwerkzeug, das hauptsächlich für einfache Aushöhlarbeiten genommen wird.

Hier soll nun die Erfahrung im Holzschnitzen durch die Beschreibung der Arbeiten an einer geschnitzten Holzschale vertieft werden. Dabei werden auch die geeigneten Hölzer und Werkzeuge vorgestellt.

Holzschnitz-Werkzeuge

Einige einfache Schnitzprozesse können mit einem Holzmeißel (Abb. 1) ausgeführt werden. Aber für differenzierte Arbeiten sind spezielle Schnitzeisen erforderlich, von denen in der Abbildung eine Auswahl vorgestellt ist.

Berufsschnitzer haben manchmal mehr als 100 verschiedene Eisen für ihre kniffligen Schnitte. Dem Anfänger reichen zunächst zwei oder drei, und er kann den Bestand ja später nach Bedarf ergänzen. Die Eisen (oder Klingen) der Holzschnitzwerkzeuge werden nach drei Merkmalen unterschieden: Form (d. h. flach, hohl oder gekröpft), Breite (gemessen an der Schneide) und Schneide (die Form an der Spitze).

Gerade Eisen werden gewöhnlich für Flachreliefs und flache Schalen benutzt. Auch Holzplastiken können damit bearbeitet werden, wenn die Schneide etwa im Winkel von 15° an das Holz angesetzt wird. Als Variation zu den geraden Eisen gibt es die gekröpften Eisen, die einen gebogenen Schaft haben. Hiervon gibt es drei verschiedene: das Blumeneisen, das lange, gekröpfte Eisen und das kurze gekröpfte Eisen.

Für tiefe Aushöhlungen wie eine Schüssel, wo die geraden Eisen nicht ausreichen, werden Bohrer und gekröpfte Flacheisen verwendet.

Außerdem sind da noch das Hohleisen und der Geißfuß. Hohleisen haben eine U-förmige Schneide, der Geißfuß ist V-förmig. Ihn gibt es in verschiedenen Winkeln: 45°, 60° und 90°.

Bei vielen Schnitzarbeitsgängen müssen beide Hände am Werkzeug liegen, eine übt Druck auf den Griff aus, die andere führt das Eisen. Für tiefe Schnitte wird zum Eintreiben ein spezieller Holzknüpfel benutzt. Deshalb wird das Material mit Schraubzwingen oder Klemmen gut befestigt. Ein Schraubstock mit gepolsterten Backen ist besonders gut geeig-

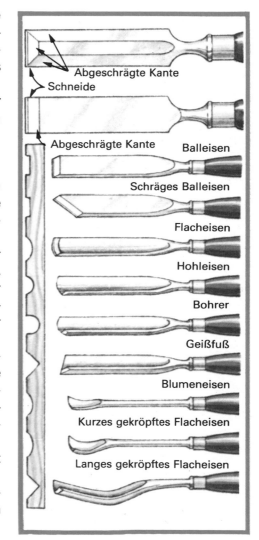

Abgeschrägte Kante

Schneide

Abgeschrägte Kante

Balleisen

Schräges Balleisen

Flacheisen

Hohleisen

Bohrer

Geißfuß

Blumeneisen

Kurzes gekröpftes Flacheisen

Langes gekröpftes Flacheisen

Die Zeichnung zeigt eine Auswahl erhältlicher Schnitzwerkzeuge und deren Schnittprofile.

net, weil er auf der Arbeitsplatte steht und daher rundum gearbeitet werden kann.

Das richtige Holz

Die meisten Hölzer lassen sich schnitzen, es gibt aber welche, die ganz besonders gut geeignet sind, dazu gehören die dichtfasrigen Harthölzer wie Buche, Sykamore, Mahagoni, Teak und Eiche. Buche und Sykamore eignen sich besonders gut für Eßgeschirr, weil die Oberfläche sehr glatt und gleichmäßig bearbeitet werden kann. Die anderen werden hauptsächlich für Möbel verwendet. Teak ist wegen des Geschmackes, den es abgibt, für Geschirr ungeeignet.

Weichholz – an sich gut zu schnitzen – reißt leicht und verzieht sich gern. Wenn es trotzdem verarbeitet werden soll, muß es sehr gut ausgewittert sein.

Am besten ist ein Hartholz mit ebenmäßiger Maserung und dichter Faser.

Die Schale

Die birnenförmige Schale ist etwa 14 cm breit, 30 cm lang und 25 mm tief. Sie ist aus Hartholz nach den Grundregeln des Schnitzens gearbeitet. Selbstverständlich kann auch eine andere Form entworfen werden, aber tiefe Schüsseln sind recht schwierig und werden besser, wie im vorangegangenen Kapitel erklärt, aus geschichtetem Holz gemacht. Zum Schnitzen muß das Holzstück gut befestigt werden. Die Vorlage wird abgepaust und mit Kohlepapier auf das Holz übertragen.

Das Holz wird an der Tischkante mit Klemmen befestigt und quer durch die Länge der aufgezeichneten Schale eine 25 mm tiefe Rinne ausgestemmt.

Vorsicht, wenn die Rille zu tief eingeschnitten wird, ist der Boden zu dünn! Die Sohle der Rinne muß glatt von einer Seite der Schale zur anderen verlaufen. Als nächstes wird das überflüssige Holz auf beiden Seiten der Rinne von den Enden her herausgeschnitten. Auf der übernächsten Seite sieht man, in welcher Richtung das Eisen in diesem Stadium anzusetzen ist. Die fertige Vertiefung wird erst mit mittelfeinem und dann mit feinem Sandpapier nachbehandelt. Das muß aber nicht sein; mit den Schnittmalen wirkt die Schale sehr rustikal.

Die äußere Schalenform wird mit der Bügelsäge auf der eingezeichneten Umrißlinie ausgesägt. Der Schnitt wird auf der Außenseite der Linie geführt.

Die Schnittkante wird mit der Surform-Raspel nachgearbeitet. Mit einem Filzstift oder Bleistift wird 3 mm unter dem Rand der Schale auf der

Eine flache Schale kann nahezu in jeder Form aus jedem Holz geschnitzt und in jeder beliebigen Farbe gebeizt werden, ganz nach Zweck und Geschmack.

Schnittfläche eine umlaufende Linie angezeichnet. Eine weitere Hilfslinie wird auf dem Boden der Schale 16 mm vom Rand entfernt gezogen. Zwischen diesen beiden Linien wird das Holz mit der flachen Surform-Raspel weggeraspelt.

Mit einer halbrunden Holzfeile wird die Form geglättet und mit mittelfeinem und feinem Sandpapier geschliffen.

Dann wird noch eine geeignete Politur aufgebracht. Salatschüsseln sollten mit Pflanzenöl eingerieben werden.

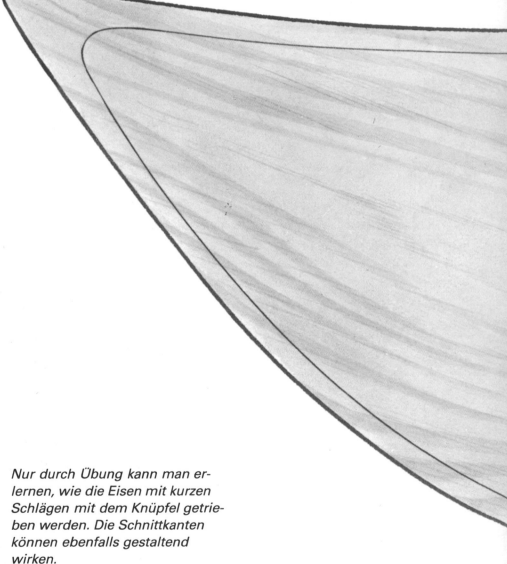

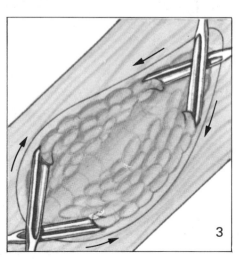

Nur durch Übung kann man erlernen, wie die Eisen mit kurzen Schlägen mit dem Knüpfel getrieben werden. Die Schnittkanten können ebenfalls gestaltend wirken.

Äußerer Rand

Innerer Rand

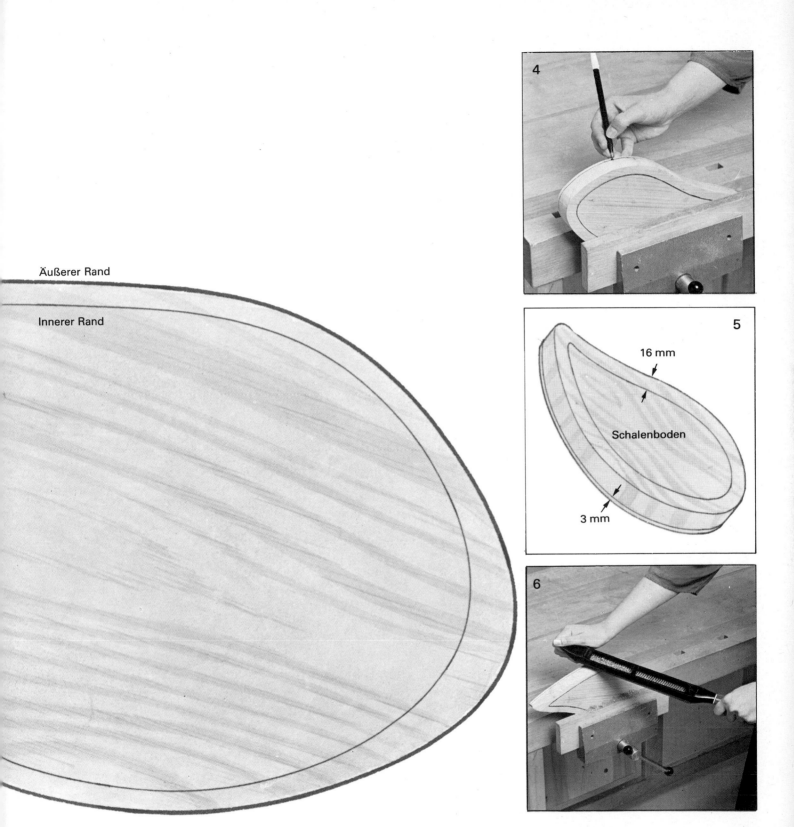

Schalenboden

16 mm

3 mm

Handschnitzen und Kerbschnitzen

Eine der ältesten Methoden der Holzverarbeitung ist das Schnitzen mit dem Messer. Meistens wird hierzu Weichholz genommen, aber geübte Künstler arbeiten mit Hartholz und sogar mit Elfenbein. Am gebräuchlichsten war früher das sogenannte Federmesser. Für einen Anfänger ist das Federmesser aber nicht das richtige Werkzeug. Er erwirbt besser einen Satz spezieller Schnitzmesser. Einige Hersteller bieten Werkzeugsätze mit verschiedenen Griffen und auswechselbaren Messern, Eisen, Meißeln und Schabhobeln an. Bei diesen Geräten können zwar stumpfe Klingen ausgewechselt werden, trotzdem lohnt sich die Anschaffung eines Ölsteins, und das Schleifen der Werkzeuge sollte unbedingt erlernt werden. Denn je schärfer die Schneide, desto sauberer der Schnitt. Ob fertige Schnitzereien geschliffen und poliert werden, ist Geschmackssache. Viele Künstler ziehen eine durch die Schnittlinien lebhaft strukturierte Oberfläche vor.

Es wäre falsch, alles mit dem Messer schnitzen zu wollen. Für grobe Arbeiten ist die Bügelsäge oder eine Surform-Raspel das geeignete Werkzeug.

Das Holz

Die Holzwahl ist kein Problem, da sich fast jedes eignet. Je härter das Holz ist, desto präziser können Muster und Formen geschnitzt werden. Weichholz bricht leicht aus und bröckelt weg, so daß das Ausarbeiten kleiner Details schwierig ist. Für den Anfänger sind verhältnismäßig weiche Hölzer wie Kiefer, Schwarzlinde, Zeder, Pappel, Kalifornisches Rotholz oder Zypresse am besten geeignet. Pappelholz ist so fest, daß auch Feinheiten bis zu einem gewissen Grad ausgearbeitet werden können, ebenso das Rotholz und die Zypresse, beide ermöglichen saubere Schnitte und scharfe Kanten. Zu den härtesten Hölzern, bei denen auch winzige Feinheiten gestaltet werden können, gehören Eiche, Mahagoni, Teak, Buche, Sykomore, Walnuß, Kastanie und Steineiche, die ein wunderbar hartes, weißes Holz hat. Ebenholz ist sehr hart und nur schwer zu bekommen. Vielleicht finden sich zum Schnitzen geeignete Bruchstücke alter Möbelleisten oder alter Holzschalen. Der Buchsbaum ist der Aristokrat unter den Harthölzern. Seine goldgelbe Farbe war bei den Schnitzern der Renaissance besonders beliebt.

Ursprünglich war Schnitzen ein Arme-Leute-Hobby, denn es ist nicht not-

wendig, große Mengen teures Holz zu kaufen. Eine Fundgrube sind Sägewerke und Holzlager, wo Abfallstücke oft sehr günstig zu bekommen sind. Trödler und Flohmärkte sind eine andere Quelle. Dort finden sich nicht mehr zu reparierende Mahagonimöbel und dergleichen, die aber noch gutes Schnitzholz abgeben. Auch die Suche nach alten Haarbürsten mit Ebenholzgriff und Klaviertastaturen aus Ebenholz und Elfenbein lohnt sich. Billiardkugeln wurden früher aus den besten, makellosen Zähnen indischer Elefanten gemacht.

Das Salatbesteck
Als Anfangsübung im Schnitzen eignen sich einfache Formen, z. B. Löffel und Gabel – Formen, die jedem vertraut sind. Das hier gezeigte Salatbesteck ist aus hellem Kiefernholz: die Teile sind 25 cm lang und der Löffel vorn 50 mm breit.

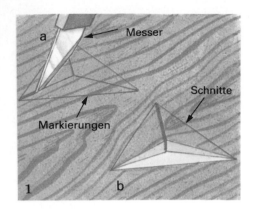

a Messer
Markierungen
Schnitte
1
b

Dieser oder eigene Entwürfe werden kopiert und auf das Holz übertragen. Natürlich kann man auch vorhandene Bestecke nacharbeiten. Sie werden einfach auf das Holz gelegt und die Kanten mit einem Bleistift umfahren. Bei beiden Besteck-Teilen wird sowohl das Seiten- wie auch das Aufsicht-Profil angezeichnet.

Die Löffelvertiefung wird innerhalb der Umrißlinie angezeichnet.

Dann werden mit der Bügelsäge beide Teile etwas größer als der Umriß ausgesägt.

Mit einem Eisen wird eine gerade Rille in ganzer Länge durch die Löffelvertiefung geschnitten und eine zweite quer dazu, so daß sie in Kreuzform verlaufen. Dadurch, daß man weitere Rillen einschneidet, wird aus dem Kreuz ein Stern.

Dann werden die zwischen den Rillen stehenden Reste herausgeschnitzt und die Innenseite vorsichtig mit dem Schabholz ausgeformt, wobei sehr darauf zu achten ist, daß keine langen Späne abgehoben werden, denn dadurch könnte der Löffelrand ausreißen.

Wichtiger Tip: Die Vertiefung wird vor der Gesamtform geschnitzt, sonst ist ein genaues Arbeiten unmöglich.

Wenn die Vertiefung so vollkommen wie möglich ist, wird das Aufsicht-Profil ausgesägt und das Seitenprofil erneut auf die Sägefläche gezeichnet.

Nun beginnt die Schnitzarbeit. Wenn irgend möglich, wird mit dem Lauf der Faser geschnitzt und niemals zuviel Holz auf einmal entfernt.

Die Kunst des Schnitzens besteht zum Teil in der Geschicklichkeit, mit der feine Späne abgehoben werden.

Wenn der Löffel fast seine Endform hat, hört man mit dem Schnitzen auf und schleift den Rest mit mittelfeinem Sandpapier.

Wer will, kann jetzt den Griff noch mit einem dekorativen Muster schmücken.

Zum Schluß wird der Löffel mit feinem Sandpapier geschmirgelt. Damit

Handschnitzen und Kerbschnitzen sollte zuerst an einem Abfallstück geübt werden, ehe ein wertvolles Holz für eine Arbeit genommen wird. Kerbschnitzen ist in manchen Ländern eine alte Volkskunst; so ist das Muster auf dem Löffel afrikanischen Vorbildern abgeschaut (Abb. gegenüber).

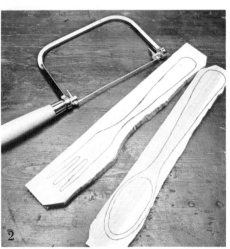

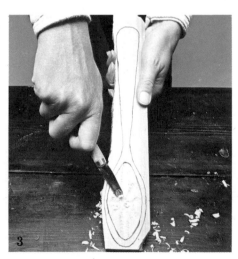

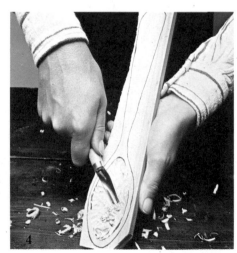

sich die Fasern aufrichten, wird er naß gemacht und nochmals mit dem feinen Sandpapier überarbeitet.

Nach der gleichen Arbeitsweise entsteht auch die Gabel.

Schließlich wird Mandel- oder Olivenöl zwei- oder dreimal gut in die Besteckteile eingerieben.

Wer mit einfachen Formen das Schnitzen erlernt hat, kann sich bald an schwierigere Dinge wagen, wie vielleicht die Figuren zu einem Schachspiel oder kleine Spieltierchen.

Das Kerbschnitzen

Kerbschnitzen ist die Kunst, die Holzoberfläche durch Einschneiden flacher, meistens aus kleinen Dreiecken, Rauten oder Halbmonden gebildeten Ornamente, zu gestalten. Da die gleichen Werkzeuge wie beim Handschnitzen benutzt werden, wird es vielfach als Ergänzung dieser Kunst betrachtet. Das stimmt nicht ganz, denn viele Kerbschnitz-Arbeiten sind auf Oberflächen nicht geschnitzter Gegenstände zu finden. Kerbschnitzereien sind sehr flach. Deshalb färben manche Künstler die Holzfläche erst mit Beize, aus der die Schnitzerei dann hell absticht.

Das Entscheidende beim Kerbschnitzen ist die Exaktheit. Alle Formen eines Musters müssen abgemessen, gleichmäßig angeordnet und mit einem spitzen Bleistift aufgezeichnet werden. Dann ist das eigentliche Schnitzen eine einfache Arbeit.

Um ein Dreieck zu schneiden – der wichtigste Kerbschnitt – wird, wie in der Abbildung 1 a gezeigt, eine Y-Form geschnitten. Dabei wird von außen nach innen gearbeitet, so daß die Schnitte am Treffpunkt der Y-Linien am tiefsten sind. Diese Linien werden zu einem Dreieck verbunden. Jedes Drittel dieses Dreiecks wird durch einen sauberen Schnitt, dessen tiefster Punkt in der Mitte des Dreiecks liegt, herausgehoben (1 b). Die anderen hier gezeigten Muster entstanden mit der gleichen Technik. Halbmonde werden mit einem U-förmigen Einsatz ausgestochen.

Register

Bildnachweis:
Theo Bergstrom S. 38, 39, 83o, 90
Steve Bicknell S. 11, 31, 32, 41, 66, 78, 81r,
122l, 124u, 128, 129, 130l, 131r
Camera Press S. 22, 75
John Cash S. 33
Alan Duns S. 111, 112ol, 116, 117
Ray Duns S. 20, 100 or, u, 101l, 102, 104,
106ol, 107r
Nelson Hargraves S. 43, 95, 98
Peter Heinz S. 34, 59 or
Paul Kemp S. 133, 134u, 135
Chris Lewis S. 21, 51, 52, 56, 74
Maison de Marie Claire/Galland S. 45
D. Meredew Holding Ltd. S. 17
Dick Miller S. 14, 15, 25, 26, 59l, 60r, 61, 84,
92, 108o, 109o, 110, 114, 115or, 118, 119
Alasdair Ogilvie S. 12, 19, 36, 67, 83or
Johnnie Ryan S. 35, 89
Kim Sayer S. 120, 121
Jerry Tuby S. 6, 7, 46, 47, 54r, 85, 87o,
106or, 107ol

Elizabeth Whiting S. 29
Zeta/J. Behnke S. 5

Zeichnungen:
Alf Martenson S. 85
John Matthews S. 100u
Roger Polley S. 84

Modelle:
Clare Beck S. 37
Victoria Drew S. 50, 73r
Bob Harvey S. 8, 9, 10, 13
Lorraine Johnson S. 48
Trevor Lawrence S. 16, 46, 100, 108u, 109u,
112or, 113ol, 115ol
Tri-Art S. 96, 97
Ken Wheatly S. 54, 55
Paul Williams S. 24, 59ur, 60or, ul, 62, 63,
64l, 68, 69, 70, 71, 76, 77, 80, 81l, 83ul, 87u,
88, 89u, 91, 93, 101r, 112r, 123, 124o, 125,
127, 130r, 131l, 134ol